France, état critique

DU MÊME AUTEUR

La Mort du dollar, Le Seuil, 1974.
L'Economie de spéculation, Le Seuil, 1978.
Economie de l'entreprise, Fayard,1989.
Pour un capitalisme intelligent, Grasset, 1993.
Le Gouvernement d'entreprise ou les fondements incertains d'un nouveau pouvoir, Economica, 1999.
Changer l'Etat, Plon, 2001.
La République silencieuse, Plon, 2002.
Le Capitalisme total, Le Seuil, 2005.
Seul face à la justice américaine, Plon, 2006.
Sarkozy : l'erreur historique, Plon, 2008.

Jean Peyrelevade

avec Pierre-Antoine Delhommais

France, état critique

Plon

www.plon.fr

ISBN : 978-2-259-21393-6

« Il y a toujours des médecins Tant-Mieux qui préfèrent les bonnes paroles et les expédients. Ils ne font confiance ni au bon sens, ni à l'énergie, ni au courage de la nation. Ce sont des pessimistes. Parler le langage de la vérité, c'est le propre des véritables optimistes, et je suis optimiste, moi qui pense que ce pays accepte la vérité, qu'il est prêt à prendre la résolution inflexible de guérir et qu'alors il guérira. »

Pierre Mendès France, 3 juin 1953
discours d'investiture à l'Assemblée nationale (l'investiture fut refusée...).

Introduction

La France s'inquiète. La crainte monte d'une sorte de déclassement qui, affectant le pays tout entier, entraînerait celui des catégories sociales les plus exposées : les travailleurs non qualifiés, frappés par la concurrence des pays émergents à faibles coûts de main-d'œuvre mais aussi une large partie des classes moyennes. Face à l'inéluctable alourdissement des charges publiques résultant du vieillissement de la population, où trouver les ressources si une croissance médiocre n'y pourvoit plus ? La dette, on le sait aujourd'hui, n'est pas une solution. Chacun redoute une dégradation de son pouvoir d'achat et, pour ses enfants, le risque d'appauvrissement.

Faute de réponse appropriée, naît la tentation d'un refus de l'échange, d'un rejet de la mondialisation et de l'Europe qui en est son incarnation rapprochée. A l'extrême gauche comme à l'extrême droite, chez Jean-Luc Mélenchon comme chez Marine Le Pen s'expriment en propos similaires des attitudes de fermeture. On serait si bien entre soi !

Sortir de l'euro, atteindre comme José Bové le demande l'autosuffisance agricole et refuser à ce titre les importations de tomates marocaines, réduire avec Nicolas Sarkozy et Claude Guéant, voire interdire toute immigration de main-d'œuvre, dans une sorte de rappel des dommages imaginaires provoqués par l'arrivée fantasmée des « plombiers polonais » (alors que nos hôpitaux restent incapables de fonctionner sans l'ajout significatif de personnels médicaux provenant de l'étranger et que maintes entreprises éprouvent des difficultés de recrutement), prôner la démondialisation avec Arnaud Montebourg, imposer comme le suggère le parti socialiste de Martine Aubry des pénalités sur les importations en provenance de zones où ne seraient pas respectés les droits sociaux ou environnementaux sans dire qui est visé, prétendre avec les souverainistes et certains libéraux (mais contre les chiffres) que la liberté des échanges n'est concevable qu'entre pays de niveaux de développement comparables, vouloir, comme Emmanuel Todd, que l'Europe élève les droits de douane à ses frontières, autant d'illusions qui, diversement réparties, peu ou prou, entre les partis politiques sollicitant nos suffrages, alimentent un désir de protection généralisée. Et, par là même, le légitiment. La xénophobie n'est pas loin et le populisme déjà présent, signal précurseur d'évolutions plus inquiétantes encore.

Je m'inquiète pour mon pays de son incapacité à relever des défis qui peuvent et doivent l'être. La poursuite de notre déclin relatif, non dans notre rapport à la Chine, l'Inde ou le Brésil qui ont le dynamisme de nations en pleine croissance, mais en comparaison de nos voisins européens (ceux qui sont précisément de « niveaux de développement comparables ») n'est pas inscrite dans les astres, mais en nous-mêmes. Nous pouvons réussir, comme d'autres qui ne sont pas mieux dotés que nous. A condition de le vouloir : « Conquérir et protéger ne vaut. » La volonté de redressement passe par la lucidité du diagnostic.

Nous sommes à quelques mois de l'élection présidentielle de 2012. Cet événement est important dans la cristallisation de l'opinion publique. Où sommes-nous, où allons-nous ? Les candidats qui vont se présenter au premier tour et surtout les deux finalistes du second apporteront leurs réponses à ces deux questions essentielles. J'espère, sans trop y croire, qu'elles nous permettront d'ouvrir les yeux sur nous-mêmes. Depuis le second septennat de François Mitterrand, les douze ans de présidence de Jacques Chirac et le quinquennat qui s'achève, que de temps gâché ! A partir de 1993 et quasiment sans interruption, la France perd du terrain. Comme si notre démocratie était plus sensible que d'autres au virus démagogique : les promesses furent plus nombreuses que les actes. Peut-être, me dira-t-on, faut-il si l'on veut être élu habiller de quelques atours la triste réalité des efforts que le peuple devrait consentir pour la conquête de son propre avenir ? Je réponds qu'il n'est pas pour un pays de victoire réelle sans quelque tension. Si, décidément, il faut mentir pour être élu, il est aussi vrai qu'on ne peut pas gouverner après l'avoir fait. Jacques Chirac et sa « fracture sociale », Nicolas Sarkozy, son « point de croissance supplémentaire » et sa présidence du pouvoir d'achat n'ont pas été moins immobiles que le François Mitterrand du « ni-ni » qui, lui au moins, avait annoncé la couleur. Je souhaite que demain mon pays soit enfin gouverné.

Craignant l'absence dans le débat des vrais enjeux, j'ai voulu dans cet ouvrage essayer de les rappeler. Libre de toute attache partisane, je ne roule pour personne. Indépendant de caractère et de pensée, j'accomplis ce qui me paraît être un devoir citoyen. La droite, meurtrie, éclatée après bientôt cinq ans de pouvoir désordonné, n'a plus ni cohérence, ni vision. La gauche, pour laquelle je voterai en espérant que de l'alternance naîtra un vrai changement, n'a pas encore pris la mesure, et de loin, des difficultés qui l'attendent si elle gagne.

La vérité est que par un mélange curieux, fait à la fois de paresse et d'une affirmation d'intelligence supérieure, la France, sous des apparences colbertiennes, a en fait adopté, à tort, le modèle anglo-saxon. Nous avons décidé que l'avenir était aux services et à la finance, activités combien plus confortables que la production industrielle. Nous importons pour consommer, nous empruntons à cette fin, et la dette ainsi créée nourrit nos financiers. Nous développons les services de proximité, par nature protégés de la concurrence internationale (commerce, hôtellerie et restauration, services à la personne), à grands coups de dépenses fiscales pour soutenir l'emploi. Nous sommes devenus un peuple de « passagers clandestins », chacun essayant de tirer le plus possible de la collectivité. A ce titre, la question de la « répartition » occupe tout le débat public. La notion même de PIB est devenue suspecte, comme celle de production : le rêve de chacun est bien de consommer sans produire, de bénéficier d'un « droit au revenu » sans relation avec l'effort productif et du système de protection sociale sans participer à son coût. Les écologistes ne critiquent-ils pas le « productivisme » qui serait la marque d'une incompréhension du monde par la gauche de gouvernement? Comme si, pour changer du tout au tout de modèle de développement – ce qui est nécessaire – il ne fallait pas chercher, innover, fabriquer, faire, produire beaucoup plus qu'aujourd'hui. Faire et non pas consommer. Produire avant de consommer. Donc investir dans notre avenir.

Nous avons deux faiblesses majeures qui se répondent l'une l'autre : un défaut de compétitivité de notre appareil productif et des finances publiques en très mauvais état. Hypothèse redoutable, le déclin peut continuer. Je ne désespère pas d'un sursaut et c'est pourquoi j'ai écrit ce livre. Je remercie vivement Pierre-Antoine Delhommais de m'avoir sans cesse relancé la balle. Sans lui, je n'aurais pas eu le courage d'entreprendre cette tâche.

1

Le déclin, pour de vrai

Le plus simple, pour commencer cette discussion, c'est encore de partir du titre du livre : France, état critique. *Sommes-nous vraiment dans une situation si difficile ? Quand on regarde les classements internationaux comparatifs de niveaux de vie, la France reste bien placée, elle continue d'attirer massivement des investisseurs étrangers, des immigrés aussi, elle a plutôt mieux que d'autres résisté à la crise, les Français continuent de consommer sans trop de modération, son système de protection sociale est l'un des plus généreux au monde... Est-ce que vouloir redresser la France n'est pas se ranger du côté des déclinologues et d'une école de pensée qui n'est pas forcément très fréquentable ?*

Le déclin économique de la France n'est malheureusement pas une vue de l'esprit, l'affirmer n'est pas une posture démagogique, c'est un simple constat. Celui de la réalité brute, dure, incontestable, des faits et des chiffres. Nous vivons certes en France encore de manière très confortable, nous avons certes encore un niveau de vie par habitant qui nous classe parmi les plus prospères de la planète, mais nous perdons du terrain. Vis-à-vis de la Chine, de l'Inde et des grands pays émergents, bien sûr, mais ce n'est pas le plus inquiétant. Nous perdons surtout du terrain en production, et donc en création de richesses, par rapport à la moyenne de nos concurrents et de nos partenaires industrialisés. Si nous continuons comme cela, notre modèle social dont nous sommes si fiers, auquel nous sommes tellement attachés, finira lui-même par exploser, pour des raisons financières.

Rappelons juste quelques chiffres : un taux de chômage de 9 % et, rapportés au PIB, un déficit budgétaire de l'ordre de 6 %, une dette publique de plus de 80 %, un déficit du commerce extérieur qui dépasse 3 %. Enfin, et d'ailleurs ceci explique cela, la part industrielle de notre activité est en train de reculer à une vitesse qui est sans comparaison, à nouveau, avec nos principaux rivaux. Nous sommes en train de consommer les derniers restes d'une prospérité passée.

Les causes de ce déclin sont aussi profondes que nombreuses. D'abord, la France se caractérise par une incapacité à répondre de manière adéquate aux chocs conjoncturels. Plus exactement – et la dernière crise de 2008-2009 en fournit un exemple éloquent –, nous résistons bien pendant les crises, mieux que d'autres, grâce à notre système de protection sociale qui a un effet contracyclique. Notre modèle de redistribution protège assez efficacement les inactifs, les chômeurs, les retraités. L'importance des dépenses de protection sociale, le volume considérable des prestations sociales dans le revenu national font que la demande, notamment de consommation, se maintient relativement bien pendant les récessions. Comme, en outre, à droite comme à gauche, tout le monde en France est devenu keynésien, les gouvernements ne mégotent pas, pendant les périodes de crise, en matière de dépenses publiques. Le problème est qu'après les chocs nous sommes incapables de ramener les compteurs à zéro, de sortir des crises de façon équilibrée, sérieuse, rigoureuse. La France sait jouer les cigales, pas les fourmis. On peut multiplier les exemples pour illustrer les grandes étapes de ce lent déclin.

Un comportement de cigales

Le premier, ce sont les deux chocs pétroliers de 1973-1974 et de 1979. De tous les pays industrialisés, la France est celui qui a fait le plus supporter le poids de ces chocs conjoncturels, non pas aux ménages, mais à l'appareil productif. Cependant, s'agissant d'une augmentation de prix massive d'une matière première, le pétrole, incontournable et totalement importée, la détérioration des termes de l'échange était à la fois immédiate et structurelle, et donc instantané l'appauvrissement de l'ensemble du pays. Il était inévitable que le coût finisse par en être supporté par les Français eux-mêmes. Malgré des gouvernements réputés libéraux, ce sont les entreprises qui ont dans un premier temps payé la facture. Résultat : leurs marges, leurs excédents bruts d'exploitation se sont naturellement effondrés, avec des effets particulièrement douloureux pour notre compétitivité. Ce qui – petite malice au passage – permet d'ailleurs aujourd'hui aux économistes de ATTAC et à Jean-Luc Mélenchon de dire que, depuis cette période bénie, la part des salaires dans la valeur ajoutée des entreprises a reculé de dix points. Ils oublient juste de rappeler qu'à l'époque elle avait monté dans des proportions insupportables. D'une certaine façon, ce qui a corrigé, ironie de l'histoire, la dégradation de notre appareil productif en 1974 et 1979, c'est l'alternance de 1981. Non pas les premiers mois qui ont suivi l'arrivée de la gauche au pouvoir, qui ont au contraire vu s'accentuer la tendance des années précédentes, qui ont vu se gonfler à contretemps l'excédent de demande interne par rapport à l'Allemagne, déjà plus raisonnable, et le déficit de commerce extérieur devenir insupportable. Les caisses alors se sont vidées. Tout cela évoque des choses très actuelles.

Mais le virage de 1982-1983 et les plans de redressement successifs ont effacé les erreurs macroéconomiques de 1974 et de 1979 et celles du début de septennat de François Mitterrand. A partir de ce changement de cap, et sans que le pouvoir d'achat recule, le commerce extérieur se rétablit sensiblement, les taux de croissance remontent, l'inflation chute et les marges des entreprises se reconstituent. L'économie française va alors connaître la meilleure période de son histoire récente. Coïncidence amusante : c'est en 1989, alors que Michel Rocard est Premier ministre, que les marges brutes des entreprises, leur excédent brut d'exploitation, atteignent leur niveau historiquement le plus élevé : 33 % de leur valeur ajoutée. Plus intéressant encore : pendant toute cette période, qui va de 1983 à 1993, le déficit budgétaire français, malheureusement récurrent, est inférieur au déficit moyen européen qui l'est également. En 1993, la France finit même par se rapprocher de la moyenne européenne en termes de dépenses publiques par rapport au PIB : l'écart en notre défaveur n'est plus que de un à deux points. La récession de 1993, brève mais violente, va casser ce mouvement. La France va en sortir, là encore, parce que les dirigeants du pays n'ont pas assez veillé à la situation de l'appareil productif et à la défense de la compétitivité, avec des taux de croissance abaissés, aux alentours de 2 %, des déficits budgétaires à nouveau continûment supérieurs à la moyenne européenne et un commerce extérieur médiocre.

Théorie du laxisme

Bien entendu, une partie significative des dirigeants politiques de gauche n'ont ni compris ni admis le choix de la rigueur en 1982-1983. A l'extrême gauche, mais également chez les souverainistes.

Ainsi de Jean-Pierre Chevènement. L'ancien ministre, dont il m'est arrivé d'admirer le talent, me fait l'honneur dans son dernier livre[1] de m'agresser en me présentant comme l'un des propagandistes en France de la « théorie de l'efficience des marchés » et l'un des acteurs principaux qui organisèrent le virage de la gauche sociale-démocrate, et au-delà d'elle, de tout le pays, vers le « néolibéralisme », ce péché absolu. Il est vrai que, aux yeux de Jean-Pierre Chevènement, je partage cette distinction avec Jacques Delors, Pascal Lamy et quelques autres, ce qui me rassure.

L'accusation est caricaturale, mais de plus en plus répandue au sein de la gauche protestataire. Elle est sans doute utile à ceux qui la propagent. Au nom du réexamen pseudo-historique des événements de 1981-1983 (période au cours de laquelle j'étais effectivement responsable de la conception de la politique macroéconomique auprès du Premier ministre, Pierre Mauroy), elle sert à peser sur le débat politique d'aujourd'hui et à discréditer au passage certains des plus éminents représentants de la gauche de gouvernement : la primaire socialiste est à l'horizon. D'où l'importance d'en démonter les ressorts.

Mon cas personnel n'a aucune importance. Mais me penchant d'abord sur ce qui m'était per-

1. *La France est-elle finie ?*, Fayard, 2011.

sonnellement reproché (le réflexe est humain), je n'ai eu guère de peine à découvrir où était la manipulation : oui, je suis fier d'avoir été l'un des artisans du tournant de la rigueur de 1982-1983 et me suis battu avec toute l'énergie dont j'étais capable contre l'« autre politique », celle de sortie du SME et de dévaluation continue du franc. Non, je n'ai jamais plaidé pour la libération totale des mouvements de capitaux ni pour la dérégulation bancaire : tous mes écrits vont à l'exact opposé, ce qui témoigne, pour quelqu'un qui œuvra pendant une large partie de sa vie professionnelle dans la finance, d'une certaine indépendance d'esprit.

Pourquoi, dès lors, faire de moi l'un des « architectes du néolibéralisme », ce qui est factuellement faux ? Parce que la manœuvre consiste à confondre deux questions bien différentes. La première est relative à l'intégration européenne : fallait-il, dans l'intérêt de notre pays, jouer cette carte ou la rejeter ? Je conçois que l'on puisse avoir sur ce sujet des points de vue différents et je respecte celui de Jean-Pierre Chevènement, même si je ne le partage pas. La seconde est de savoir quel degré de discipline budgétaire et monétaire il convient de maintenir pour gouverner utilement un pays. Là, aucune discussion n'est à mes yeux possible : les dirigeants sont coupables qui poussent à consommer et investir plus que ce que l'on produit.

On voit bien où est l'artifice. Les défenseurs du maintien des équilibres économiques fondamentaux, auxquels j'appartiens, sont rendus automatiquement coupables d'une dérive néolibérale, ce qui sert à les discréditer en même temps que les politiques de rigueur qu'ils défendent. Soit la confusion est volontaire de la part de Jean-Pierre Chevènement, et elle est intellectuellement malhonnête, soit elle est inconsciente et le mal est encore plus profond. Car je pourrais aisément renvoyer l'image à son expéditeur. Je note avec intérêt que, aujourd'hui comme en 1983, les partisans de la non-intégration et des protections aux frontières sont les mêmes qui n'ont cessé de plaider pour le laxisme le plus mortifère en matière de politique économique : vive l'inflation, les hausses de salaire, l'endettement, le déficit budgétaire et la dévaluation.

Laxisme interne et fermeture externe sont-ils comme les deux faces d'une même monnaie? Jean-Pierre Chevènement est lui-même l'incarnation la plus éminente de ce curieux alliage, qu'alimentent aujourd'hui Jean-Luc Mélenchon, Arnaud Montebourg et quelques autres. Du CERES des années 1960 au Mouvement des Citoyens actuel, sa continuité de pensée est admirable. Le coup de menton souverainiste dissimule la carence de la réflexion économique qui n'a jamais dépassé un keynésianisme primaire et mal assimilé. Il le dit lui-même dans son livre : il était en 1983 de l'avis de Jean Riboud et prônait la sortie du franc du SME et une forte dévaluation. C'était à mes yeux la voie du désastre. Nous fîmes le contraire et rétablîmes l'équilibre entre production et demande interne : nous étions donc de ce seul fait des néolibéraux. Mais surtout, et Jacques Delors qu'il se croit autorisé à insulter pourrait en témoigner encore mieux que moi-même, le grand ministre de l'Industrie qui, en 1982-1983, n'arrêtait pas d'exiger de nouvelles ressources budgétaires pour alimenter ses magnifiques projets d'investissement, ne poussa jamais la vertu civique dont il se fait si volontiers un manteau jusqu'à réclamer pour ce faire de nouveaux impôts. Empruntez, disait-il, empruntez encore, criait-il, empruntez enfin pour que je développe l'industrie ! Ces emportements montraient bien qu'il n'avait jamais compris que financer la demande, fût-elle d'investissement, par de la dette pouvait être délétère.

La gauche d'indignation est un peu courte. Je sais maintenant pourquoi je souhaite vraiment que Jean-Pierre Chevènement, quelle que soit l'affection que je lui porte encore, ne soit plus entendu. Et j'espère que la gauche de gouvernement, accusée par avance de tous les maux, ne cédera pas aux chantres mal inspirés du laxisme et de la facilité : tel me paraît être l'enjeu des mois à venir.

La réforme des 35 heures

Les années 2001-2002 marquent une nouvelle rupture et une accélération brutale du déclin, avec une dégradation progressive de tous les grands indicateurs économiques de la France, notamment vis-à-vis de l'Allemagne. La croissance ralentit encore, les déficits budgétaires se creusent. Surtout notre commerce extérieur commence à devenir, d'abord de moins en moins excédentaire, puis de plus en plus déficitaire. Avec des pertes de parts de marché à l'exportation et d'emplois industriels. Les années 2001-2002, c'est le moment où, alors que les Allemands entreprennent un effort majeur d'amélioration de leur compétitivité et de mise à niveau de leur appareil productif, les Français s'endorment, se laissent vivre. C'est d'abord le moment où le passage aux 35 heures commence à entrer dans les faits. On peut tourner le problème dans tous les sens : 35 heures payées 39, et même si les entreprises ont été en partie protégées par des allègements de charges, cela veut dire qu'au niveau de la collectivité dans son ensemble le coût du travail salarié a augmenté de plus de 11 %. Pénétrons-nous bien de cette réalité : le coût du facteur de production « travail » a brutalement grimpé de 11 % en France du fait d'une décision gouvernementale. Là, ce n'est plus une erreur de politique macroéconomique, c'est du sabordage. Comme il s'agit d'une question qui relève d'une sorte de tabou collectif, je me permets d'insister.

La réforme des 35 heures est, paraît-il, derrière nous, digérée et donc irréversible. Ni les syndicats (bien sûr), ni les hommes politiques ni même les chefs d'entreprise ne souhaiteraient la remettre en cause. En parler comme d'une faute majeure sur laquelle il faut revenir ne serait pas politiquement correct. Eh bien, je suis comme Jean-François

Copé, personnage avec lequel je n'ai pourtant que fort peu de points communs, Manuel Valls et quelques autres, malheureusement trop peu nombreux, politiquement incorrect.

Serions-nous devenus un peuple paresseux ? Le sociologue Jean Viard faisait remarquer qu'une vie entière s'étend en moyenne sur 700 000 heures (80 ans à 8 760 heures par an). Sur ces 700 000 heures, notre temps de travail effectif, hors scolarité, n'est que de moins de 10 % soit 62 00 heures (40 années de 20 à 60 ans, à 1 560 heures par an). Et nous passons 100 000 heures à regarder la télévision, à laquelle il faudra bientôt ajouter Internet.

Comment nous comparons-nous aux autres ? Le nombre d'heures travaillées par habitant est en France (622 heures par an) parmi les plus faibles au monde. La moyenne dans l'ensemble de l'Union européenne comme dans les pays de l'OCDE dépasse les 720. L'Allemagne, à la durée annuelle de travail cependant plus réduite que la nôtre, est à 700, les pays scandinaves au-delà de 800, la Corée à plus de 1 000. Seule parmi la trentaine de pays de l'OCDE la Turquie vient après nous.

Comment expliquer un volume de travail aussi modéré ? Nous cumulons les handicaps : durée annuelle du travail plutôt basse (1 560 heures par personne active, 1 460 par salarié) par rapport à la moyenne de la zone euro (1 576), de l'Union européenne (1 633) et de l'OCDE (1 715). S'y ajoute un taux de chômage relativement haut (nous sommes à plus de 9 % quand l'Allemagne est bientôt à 6). Enfin nous souffrons d'un taux d'emploi parmi les moins élevés : les jeunes entrent plus tard et plus difficilement sur le marché du travail, les seniors en sortent plus vite. Contrairement à une idée reçue, l'emploi des seniors n'est pas moins intense en France avant l'âge de la retraite : pour la tranche d'âge des 50 à 59 ans, il est légèrement supérieur à celui des autres pays européens. C'est pour les plus de 60 ans que la France connaît un taux d'emploi qui n'est que la moitié de la moyenne européenne (16 % contre 30), ce qu'explique l'effet couperet de la retraite à 60 ans. Dans la majorité des pays de l'Union européenne, l'âge légal de la retraite est égal ou supérieur à 65 ans : Pays-Bas, Espagne, Allemagne sont à 67 ans (de même d'ailleurs que les Etats-Unis) ; le Royaume-Uni à 66. Nous venons, non sans mal, de passer de 60 à 62 ans, et toute la gauche affirme vouloir revenir sur cette réforme. Ce qui est parfaitement inconséquent.

A la semaine, au mois, à l'année, sur la vie entière, notre durée du travail est toujours parmi les plus courtes. On a certes le droit de préférer le loisir au travail, la paresse à l'effort. Mais si tel est vraiment le rêve collectif, on ne peut espérer de sa réalisation plus de revenus, davantage de croissance et de pouvoir d'achat. Travailler moins et gagner plus, cela est pour le coup impossible. Le déni de réalité qui, de la gauche à une partie de la droite, entoure comme d'une sorte de halo la réforme dite des 35 heures est à cet égard révélateur. Revisitons-la, de manière simple.

Passer de 39 heures à 35 à rémunération constante, je le répète, c'est majorer le coût du travail salarié de plus de 11 %. Ce surcoût, indéniable, affecte nécessairement la collectivité dans son ensemble. La masse des salaires se monte à environ la moitié du PIB. Le surcoût brut de la réforme est donc en valeur actuelle, égal à 110 milliards, soit 5,5 % du PIB. La question importante est sa répartition entre les diverses parties prenantes.

Bien entendu, la thèse officielle est qu'une large partie en a été absorbée par les progrès de la productivité horaire. Si chaque salarié produit 11 % de plus pendant un temps de travail réduit de la même quantité, la production totale *ex-post* est identique à ce qu'elle était *ex-ante*, de même que son coût. Mais, dans cette hypothèse idéale, aucun emploi n'est créé, ce qui est contraire à l'objectif proclamé de la réforme.

Ainsi voit-on qu'à production constante le nombre d'emplois nets créés est égal en pourcentage à la diminution instantanée de la productivité par tête, c'est-à-dire très exactement à cette partie de la réduction de la durée du travail qui n'a pu être compensée par une augmentation de la productivité horaire. Ces embauches obligées représentent pour la collectivité un coût net supplémentaire, engagé pour produire la même quantité de biens et de services. Extraordinaire accomplissement, qui fonde la création d'emplois sur la destruction partielle de la performance économique ! Nous avons en France environ 24 millions de salariés. Une hypothèse, de ma part volontairement optimiste pour ne pas prêter le flanc aux critiques en provenance de la gauche, est que la réforme des 35 heures a permis de créer 500 000 emplois, soit 2 % du total. En bref, et en gommant toute éventuelle influence négative de la réforme sur le niveau même de production, les 11 % de surcoût auraient été absorbés à hauteur de 9 % par les progrès de productivité horaire et de 2 % par des embauches synonymes de surcoûts.

Première critique : un surcoût de 20 milliards d'euros (2 % de 1 000 milliards) pour 500 000 emplois représente 40 000 euros par emploi, qui sont répétitifs : cela fait cher l'emploi créé, la somme correspondant au salaire plein, charges sociales comprises, du nouvel embauché. En effet (seconde critique), pour maintenir la compétitivité de l'appareil productif exposé à ce renchérissement résiduel de la main-d'œuvre (après progrès de productivité) et donc son niveau de production, le budget de l'Etat vient assez largement compenser ce surcoût par une baisse des cotisations sociales payées par les entreprises.

Eh bien, direz-vous, rien de cela n'est dramatique. Une réduction forte de la durée hebdomadaire du travail (vive le temps libre et la qualité de vie), financée pour l'essentiel par les progrès de la productivité horaire et une augmentation du déficit public de moins de 1 % du PIB : le jeu en vaut bien la chandelle

Sauf que ce mode de raisonnement statique, centré sur nous-mêmes, ignore l'évolution du temps et les changements intervenus chez nos concurrents. Il faut regarder les choses de manière dynamique et comparée, et nous avons aujourd'hui le recul suffisant pour en juger, chiffres en mains. Notre perte de compétitivité, due à la réduction de la durée du travail, aurait été effectivement limitée si elle avait eu pour conséquence des progrès de productivité horaire beaucoup plus importants chez nous que chez nos principaux concurrents. Or tel n'est pas le cas : entre 2000 et 2007 (donc la période de mise en place de la réforme), notre productivité horaire est restée stable en proportion de la moyenne de l'Union européenne (à 115 %, ce qui est en soi une bonne performance), elle n'a pas progressé en valeur relative.

Nous n'avons rien gagné par rapport à nos concurrents directs, et notamment l'Allemagne. Reste donc, comme seul effet net de la comparaison, la réduction beaucoup plus rapide chez nous de la durée du travail et donc une productivité par tête affectée d'autant, en décalage négatif par rapport à celle de nos voisins. Ce phénomène est d'ailleurs particulièrement marqué dans l'industrie. Disons-le autrement : la réforme des 35 heures explique une large part de l'augmentation relative du coût horaire de la main-d'œuvre en France depuis le début des années 2000 : nous avons payé les mêmes salaires pour une quantité d'heures fournies plus faible, sans pour autant travailler mieux que nos concurrents puisque notre productivité horaire n'a pas progressé beaucoup plus vite que la leur. Entre 2000 et 2008, le coût horaire de la main-d'œuvre dans l'industrie s'est accru de 38 % en France, de 17 % en Allemagne, de 19 % dans l'Union européenne et de 26 % pour la moyenne de la zone euro, très défavorablement influencée par les performances catastrophiques de la Grèce (49 %), du Portugal (42 %) et, à un moindre degré, de l'Espagne (34 %) : on comprend mieux, au vu de ces chiffres, les difficultés graves de ces trois pays. Mais nous ne sommes guère mieux lotis. Quant au coût salarial par unité produite qui intègre l'effet plein des progrès de productivité, son évolution est un peu moins défavorable mais marque encore dans l'industrie une détérioration relative de presque dix points par rapport à l'Allemagne.

En efficacité comparée, presque rien n'est venu compenser le handicap de compétitivité que nous nous sommes volontairement infligé, de l'ordre de 4 à 5 points de PIB. Handicap majeur, auquel s'ajoute presque 1 point de PIB de déficit public supplémentaire. Merci à Lionel Jospin et à Martine Aubry qui furent les initiateurs de cette réforme catastrophique, merci à Nicolas Sarkozy qui ne fit rien pour effacer ce qui fut bien une erreur massive.

L'euro anesthésiant

Le début des années 2000, c'est aussi l'arrivée de l'euro. Elle va être perçue en France comme un aboutissement, comme la fin d'une longue marche épuisante, comme la récompense de toutes ces années d'efforts qui ont accompagné la politique de désinflation compétitive dont Jacques Delors fut le concepteur. Les gouvernements en place profitent à l'excès du fait que la contrainte externe a disparu : la tentation de la facilité va vite resurgir. Ils baissent alors la garde, victimes plus que consentantes du rôle anesthésiant de l'euro. Au moment même où l'Allemagne se réveille, la France s'assoupit. Elle croit pouvoir se reposer sur les lauriers de son accession à la monnaie unique, c'est-à-dire à la même monnaie que l'Allemagne. Personne ne se rend alors vraiment compte que, s'il n'est plus possible de s'ajuster par le taux de change, si la solution de la dévaluation a disparu pour rétablir une compétitivité menacée, il convient de garder une inflation basse, de contenir les coûts salariaux et d'améliorer la productivité pour maintenir son rang. Personne, sauf bien sûr les Allemands et les pays d'Europe du Nord. Pendant qu'eux se serrent la ceinture et redoublent d'efforts au travail, l'Europe du Sud s'installe tranquillement dans une chaise longue pour faire une sieste au soleil. Pire, c'est le moment où apparaît en France cette grande illusion collective selon laquelle l'euro constitue un formidable bouclier contre les menaces extérieures, qu'au fond nous n'avons plus rien à craindre et que la monnaie unique nous protège, même de nos propres erreurs. D'où un sentiment d'impunité. Il ne peut rien nous arriver de grave. Puisque l'euro a remplacé le franc, nous sommes maintenant à l'abri d'éventuelles attaques contre notre monnaie en cas de dégradation de notre situation économique nationale, puisque nous n'avons plus à redouter la sanction des marchés, on peut faire un peu n'importe quoi, on peut se laisser aller. Selon la formule d'Alain Minc, nous devenons en quelque sorte des « rentiers de l'euro ». Ce n'est que tout récemment, avec les événements de Grèce, que chacun a brutalement pris conscience que le pouvoir de sanction, par les marchés, d'une mauvaise politique macroéconomique ou des déséquilibres d'un pays de la zone euro était en réalité intact. Cependant il ne passait plus comme autrefois par le taux de change, mais par la mise sous surveillance des emprunts d'Etat et par la flambée des taux d'intérêt due à la disparition des prêteurs.

Le gouvernement Jospin, à mes yeux, porte une responsabilité majeure dans ce laisser-aller : cinq ans (1997-2002) au tournant du siècle où, à l'abri du parapluie allemand, on commet une bêtise irréparable. On croyait sans doute qu'il était possible de relâcher la discipline parce que nous étions montés dans le train commun franco-allemand. Eh bien, non, ce n'était pas un train commun ! Le paradoxe est de voir, de part et d'autre du Rhin, deux pouvoirs sociaux-démocrates adopter des stratégies opposées, avec l'un qui resserre, l'autre qui relâche. Résultat : à partir de 2002, tous les indices en valeur relative se détériorent en France, par rapport à l'Allemagne mais aussi de nombreux autres pays européens. Le déclin économique de la France est bien réel, avec le risque, s'il se poursuit, d'un repli sur soi, d'un refus de la compétition internationale, ce qui conduirait immanquablement à voir le pays descendre en deuxième, puis en troisième division pour finir en championnat amateurs. Michel Houellebecq a magnifiquement décrit dans son dernier roman cette France de demain, appauvrie, devenue un désert industriel et survivant de son seul tourisme. D'où la nécessité du sursaut. Le déclin n'est pas une vue de l'esprit, il faut le répéter, il n'est pas non plus une fatalité. A la condition que le pays tout entier participe à l'effort de redressement et qu'il soit donc convaincu de sa nécessité.

Etes-vous conscient de ce qu'il peut y avoir de choquant pour de très nombreux Français à s'entendre dire qu'ils doivent faire des efforts alors qu'eux-mêmes sont dans une situation souvent très difficile, avec du mal à trouver un emploi, à boucler les fins de mois, et avec en plus le sentiment que les inégalités s'accroissent... Etes-vous également conscient de la difficulté, voire de l'impossibilité pour un homme politique de tenir un tel discours de vérité aux Français. D'espérer pouvoir se faire élire en leur promettant non pas une hausse du pouvoir d'achat et une baisse du chômage mais de la sueur, du sang et des larmes. Non pas en leur faisant miroiter des lendemains qui chantent mais en leur expliquant la nécessité d'une période longue et difficile d'ajustement pour remettre le pays à niveau...

On doit être sensible aux difficultés d'existence des classes les plus défavorisées sans pour autant céder à la tentation de leur raconter des sornettes. Tous les hommes politiques qui laissent entendre aux Français que nous pourrons sortir de la situation actuelle et résoudre tous nos problèmes en prenant l'argent « là où il est » sont dans la démagogie. Il n'y a pas de trésor caché. Bien entendu, nous avons en France des problèmes de redistribution. Bien entendu, la répartition de la charge fiscale est inacceptable. Bien entendu, les riches ne portent pas une partie suffisante du fardeau fiscal et social. Bien entendu, il faut être solidaires, bien entendu, il y a beaucoup de choses à faire à cet égard et l'on doit réprouver les comportements individuels et collectifs d'une nouvelle caste, les « ultra-riches », les 0,1 % les plus favorisés de la population, quelques milliers de personnes dont, à titre symbolique, les présidents du CAC 40 : leur cupidité est insupportable. Mais, tout cela étant dit, une redistribution plus intelligente, plus juste, plus équitable, facilitera le traitement de problèmes politiques et sociaux, elle ne changera pas fondamentalement notre situation macroéconomique. Il est faux de croire que les défauts de la redistribution expliquent notre perte de compétitivité : cette idée, très largement répandue, est trop commode pour ne pas être suspecte. La question est d'abord celle de la production des richesses. Nous sommes loin à cet égard du point de croissance qui nous manque et que Nicolas Sarkozy prétendait vouloir aller chercher avec les dents... Mais les dents de Nicolas Sarkozy ne sont pas un facteur de production. C'était de sa part une affirmation démagogique, une de plus. Puisqu'il n'y a pas de trésor caché, la seule façon d'améliorer le niveau de vie moyen de l'ensemble des Français, c'est de produire davantage. Comment ? Il y a trois moyens, nous disent les économistes, et trois moyens seulement : le travail, l'investissement et le progrès technique.

Les facteurs de production

Le travail, d'abord : désormais la croissance de la population active sera modérée, pour des raisons démographiques. Son augmentation était depuis une quinzaine d'années de l'ordre de 0,7 % par an, elle va passer aux alentours de 0,4 % pour les vingt ans à venir. Et cette population active, sur la totalité d'une vie humaine, on l'a vu, travaille moins que dans la plupart des grands pays industrialisés. Quitte à paraître provocateur, mais c'est une vérité statistique : par rapport à ses principaux concurrents, je le répète, la France est paresseuse. Donc, le premier champ de redressement se trouve dans la durée du travail, le facteur de production travail. Deuxièmement, l'investissement. C'est une vieille idée très bête, très banale pour tout macroéconomiste digne de ce nom (mais apparemment on ne les entend guère dans ce pays) : la croissance d'une économie se fait à travers son taux d'investissement, c'est le taux d'investissement qui donne le tempo. C'est lui qui détermine la croissance du stock de capital, laquelle entraîne ensuite le reste de l'économie. Nous avons en France une déformation idéologique, à droite comme à gauche, selon laquelle il faut par priorité soutenir la consommation. La conséquence de cet arbitrage est que nous n'investissons pas assez. Juste un exemple, celui du modèle chinois : le niveau actuel de la consommation y représente environ 40 % du PIB annuel. A supposer que le PIB chinois double en sept ans grâce à un taux d'investissement très élevé, la consommation doublera également et donc, en valeur absolue, sera à cette échéance devenue 80 par rapport au niveau initial de 40. En France, le taux de consommation se situe autour de 65 % du PIB. Avec une croissance nulle, le niveau sera toujours égal à 65 dans sept ans. Tout cela pour dire que, si l'on cherche à hisser le plus haut possible la consommation à un horizon de moyen ou long terme, le taux de croissance de l'économie est plus important que le niveau initial de ladite consommation. Mieux vaut à terme consommer une faible partie d'un PIB qui croît très vite que la totalité d'un PIB parfaitement stationnaire. Il faut donc renoncer transitoirement à un niveau un peu trop élevé de consommation pour fabriquer un peu plus d'investissement. Ce n'est pas un sacrifice définitif et c'est la seule façon pour que les gens qui gagnent le Smic aujourd'hui reçoivent un Smic majoré de 30 % dans quelques années. Il n'y a pas d'autre moyen et l'insistance avec laquelle hommes politiques et économistes affirment qu'il faut avoir un taux de consommation dans le PIB aussi élevé que possible est une insistance criminelle. Il faut investir. Ce qui nécessite aussi un effort, parce que, pour investir, il faut d'abord dégager des ressources et donc renoncer à consommer.

La Chine a un taux d'investissement, certes excessif, qui est de l'ordre de 50 % de son PIB. La plupart des pays émergents sont entre 30 et 40, les pays industrialisés aux alentours de 20. Comment nous comparons-nous ici encore à nos principaux rivaux? Quand on regarde les chiffres de la comptabilité nationale, on peut penser que nous sommes à niveau : en France comme en Allemagne, le taux d'investissement de l'économie se monte à 20 % du PIB. Mais cette apparente égalité mérite d'être analysée de plus près. Les 20 % français se décomposent en effet en 10 %, soit la moitié, pour les entreprises qui représentent elles-mêmes 50 % du PIB, 7 % pour les ménages à peu près exclusivement dans l'immobilier et 3 % en investissements publics, qui sont à plus des trois quarts le fait des seules collectivités locales, l'Etat proprement dit n'ayant plus la capacité financière d'investir. D'où cette première conclusion étonnante : le secteur productif, qui porte cependant le développement de toute la partie marchande de notre économie, qui est vraisemblablement plus capitalistique par l'importance des équipements qu'il utilise, n'investit pas plus en pourcentage de sa valeur ajoutée que le reste de l'économie, les entreprises n'investissent pas plus que les ménages et les collectivités locales.

Bien entendu, l'investissement immobilier a une réelle utilité sociale. Mais il devient discutable si son importance réduit, par un effet de vases communicants, l'épargne disponible pour l'investissement productif. De ce point de vue, le slogan bien connu, « quand le bâtiment va, tout va » est erroné. D'autant que l'achat de logements par les ménages est associé par nécessité à un niveau très élevé d'endettement. D'où, de ma part, une forte suspicion : il est possible, sinon probable, que l'investissement productif, l'investissement industriel soit en France inférieur à celui de nos concurrents directs : nous préférons les murs à l'équipement industriel. Malheureusement, les statistiques internationales ne sont pas assez détaillées pour permettre à cet égard des comparaisons précises. Mais quelques observations ponctuelles ne laissent pas d'inquiéter. Comme le fait remarquer Yves Besançon dans une note de mars 2011, sur la période 1970-2000 l'investissement productif en France accuse un retard non négligeable, avec une croissance moyenne de 2,6 % l'an contre 3,1 %

pour l'Union européenne et 4,4 % aux Etats-Unis. Une étude de l'OCDE de 2007 montre que sur les années 2000-2004, l'effort d'investissement en machines et équipements des sociétés non financières, en pourcentage du PIB, place la France au 26e rang sur 28 parmi les pays industrialisés (classement, ô ironie, similaire à celui que nous enregistrons pour la quantité de travail par habitant) avec un taux de 5,7 % contre 9,5 % au Japon, 9,1 % en Italie, 7,4 % en Allemagne, 7 % au Royaume-Uni et 6,1 % aux Etats-Unis.

Troisième facteur de production : le progrès technique. Le progrès technique, c'est quoi ? C'est la recherche scientifique, l'innovation, appliquées à la fois au produit et au mode de production. Pourquoi Apple ? Pourquoi Google ? Pourquoi Intel ? Pourquoi rien d'équivalent en France ? Pourquoi les écrans plats en Corée, au Japon, et rien en France ? Non seulement nous avons à faire un effort en termes de recherche et développement, mais cet effort doit fructifier à l'intérieur de la sphère marchande elle-même. L'excellence française en mathématiques est une merveille intellectuelle mais elle n'est pas en soi créatrice de richesses. Comment faire en sorte que l'effort de recherche, d'innovation, soit tourné vers la compétition ?

Marquons, ici encore, l'ampleur de nos insuffisances. Les dépenses de recherche et développement sont, rapportées au PIB, de l'ordre de 2 % en France, ce qui nous place à un rang honorable à l'intérieur de l'Union européenne, loin cependant des pays nordiques (Suède : 3,75 %), de l'Autriche et de l'Allemagne (2,80), donc de l'essentiel de l'Europe du Nord. Mais surtout, alors que nous nous situons au même niveau que nos voisins allemands pour la recherche publique (0,8 % du PIB), nous sommes complètement décalés pour la recherche privée, celle qui est menée dans les entreprises et débouche directement sur l'innovation de produits (1,2 % contre 2 %, soit à peine plus de la moitié).

Remarquons que les trois facteurs de production, sur lesquels la France doit porter tous ses efforts, sont étroitement liés. Pour fabriquer une société d'innovation, il ne faut pas seulement de l'investissement, il ne faut pas seulement de la recherche, il ne faut pas seulement des brevets, il faut aussi des travailleurs qualifiés. Une société d'innovation se fabrique d'abord au lycée et à l'université. Elle ne peut pas être uniquement un sujet pour discours de préaux électoraux.

Enfin, la France a un quatrième problème. Les trois premiers sont des problèmes, si l'on peut dire, positifs : ce sont les clés de la croissance de demain, conjointement. Le quatrième, malheureusement, est un héritage du passé qu'il faut régler : il s'agit de la dette publique. Sauf dans les vulgarisations outrancières d'un malheureux Keynes qui n'a jamais prétendu cela, la dette publique ne peut être considérée à long terme comme un facteur de production. Elle n'est plus aujourd'hui qu'un parasite dont il va falloir se débarrasser. C'est, à nouveau, une condition de la croissance. Ce qui signifie que nous allons traverser une période difficile et qu'il faudra des hommes politiques assez courageux pour tenir un discours réaliste, non démagogique, aux Français. Personne n'a envie de se faire opérer en l'absence de tout médecin pour dire que c'est la condition de la guérison. Probablement y a-t-il beaucoup plus de Français qu'on ne l'imagine prêts à entendre et à accepter un tel discours de vérité. Mais il faut constater que très peu de leaders d'opinion, qu'il s'agisse des hommes politiques, des économistes ou des journalistes, le leur tiennent.

La perméabilité de l'opinion publique française aux affirmations économiques les plus démagogiques reste un mystère. Nous continuons ainsi collectivement à vivre dans le mirage des 35 heures, c'est-à-dire l'affirmation du loisir comme valeur première. J'en parle en connaissance de cause : j'ai servi un gouvernement où fut désigné pour la première fois un ministre du Temps libre ! Le symbole était fort, la direction clairement indiquée. Dieu merci, à l'époque, l'intéressé, respectueux pour lui-même de la mission qui lui était confiée, ne fit pas grand-chose. Mais l'idée du loisir nécessaire, de l'accroissement souhaitable du loisir était installée. Nous vivons en France un déni de la réalité économique nationale, mais aussi mondiale, qui s'accompagne, *a fortiori*, d'un déni des efforts à accomplir pour redresser la situation. Le pays tout entier continue à vivre dans sa bulle, persuadé qu'elle n'éclatera jamais. Il se trompe. Le temps de l'épreuve s'approche.

2

Les modèles

A propos de la crise des subprimes, *le milliardaire américain Warren Buffett a eu un jour cette formule : « Quand la mer se retire, on découvre ceux qui se baignaient nus. » De fait, la crise économique et financière que l'on vient de vivre a eu pour conséquence indirecte de révéler la faiblesse des uns et la force des autres. Alors que les Etats-Unis et la Grande-Bretagne, qui avaient fondé leur prospérité et leur croissance sur les services, notamment financiers, peinent à se relever, d'autres pays, comme la Chine ou l'Allemagne, nations industrielles fortes, exportateurs majeurs, connaissent une croissance vigoureuse. Deux modèles s'affrontent, aux caractéristiques opposées, aux histoires bien différenciées. La France semble, au milieu de tout cela, un peu perdue, plus tentée de contester le système économique mondial lui-même que de remettre en cause ses propres insuffisances. Un peu perdue et mal dans sa peau. Les enquêtes d'opinion internationales révèlent que les Français sont les plus pessimistes sur leur sort économique, elles indiquent aussi qu'ils sont les plus hostiles à la mondialisation. La France a peur.*

Fondamentalement, la crise l'a démontré, deux modèles économiques sont en présence. Le premier – commençons par le bon – est un modèle de coopération/compétition. Il passe, en élargissant la réflexion au-delà du seul champ économique, par une conscience profonde dans les populations concernées d'un sentiment national qui trouve à travers l'économie à la fois une manière d'accéder à davantage de prospérité et de richesse, mais aussi de marquer, par rapport aux autres peuples, une certaine forme de rivalité. Il s'agit d'un modèle de conquête, et de conquête, forcément, en terre étrangère. C'est un modèle qui voit la mondialisation comme une chance et un défi, comme une sorte de Coupe du monde de football ! Le Japon d'avant l'éclatement de la bulle spéculative, boursière et immobilière de la fin des années 1980, en représente l'exemple type. Plus récemment, la Corée du Sud en fournit un autre. Ce pays, qui nous a aujourd'hui presque rattrapés, a commencé à décoller au début des années 1970, en partant de très bas, sans la moindre ressource naturelle et en faisant reposer son développement uniquement sur ses capacités de travail et d'invention. Il y a, enfin, bien entendu, la Chine, parmi les pays émergents et, parmi les pays développés, l'Allemagne. Tous ont en commun certains traits : d'abord, une vision longue du temps, une vraie vision de long terme, qui s'accompagne nécessairement d'un sentiment national très fort, voire, dans le cas chinois, d'exaltation nationaliste. Deuxièmement, cette vision de long terme est fortement axée sur la recherche de l'innovation et de la qualification technologiques, ce qui signifie des investissements lourds dans la formation et l'appareil productif. Enfin, une concentration des efforts – la volonté de conquête est là évidente – sur les secteurs où, à tort ou à raison, le pouvoir politique pense que le pays concerné dispose d'un avantage compétitif qu'il s'agit de développer, de renforcer, d'améliorer. Le résultat est que tous ces pays-là ont une base industrielle très forte. Ce sont des économies de production.

Le modèle impérial

Le deuxième grand modèle est le modèle anglo-saxon, celui des Etats-Unis et de la Grande-Bretagne, actuel ou ancien modèle impérial. Sur le plan monétaire, ce sont deux pays qui ont été – cas de la Grande-Bretagne –, ou qui sont – cas des Etats-Unis – des pays à monnaie de réserve. Cette spécificité a eu une influence très profonde sur leur mode de développement économique. Ce sont des pays qui, d'une certaine manière, finissent par devenir victimes de leurs privilèges.

Les nations de la première catégorie, de conquête, de sentiment national affirmé, les nations d'expansion, de production, ont souvent une tentation et une déformation mercantilistes : elles marquent leurs succès internationaux en exportant plus qu'elles n'importent, en accumulant les excédents, les réserves, comme on le voit aujourd'hui avec la Chine ; elle détient le tiers des réserves de change mondiales alors qu'elle ne représente encore que moins de 10 % de la production de la planète.

Le modèle impérial, anglo-saxon, fait rigoureusement l'inverse. Pour émettre une monnaie de réserve, il faut alimenter le monde en liquidités dans sa propre devise. L'étranger devient votre créancier puisqu'il détient, pour ses besoins propres de règlement des transactions, des dépôts dans votre propre monnaie auprès de votre propre système bancaire. La demande étrangère qui se porte à l'achat de la monnaie de réserve pour des raisons non pas seulement commerciales mais monétaires, financières, transactionnelles, de liquidité, fait monter le taux de change au-dessus du niveau d'équilibre de la seule balance des échanges courants. Ce qui conduit à avoir une balance des paiements déficitaire. Et donc à accepter un déficit permanent, vis-à-vis de l'étranger, de l'appareil productif.

L'opposition entre ces deux modèles se reflète dans la part de l'industrie dans la contribution au PIB : élevée dans les pays de conquête, aux alentours de 25 % au minimum, faible dans les pays anglo-saxons, moins de 15 %. S'agissant des

Etats-Unis, le chiffre est en général méconnu, tant les idées reçues ont la vie dure. Il peut certes étonner si l'on se rappelle que la Grande-Bretagne était la première puissance industrielle au début du XXe siècle et les Etats-Unis au lendemain de la Seconde Guerre mondiale. Ces deux pays se sont massivement désindustrialisés, ils ont détruit leur appareil productif. *Sic transit...*

Par contraste, la Chine, qui consacre près de la moitié de son PIB à la production de biens industriels, est devenue en volume la première puissance industrielle du monde, devant les Etats-Unis.

Sur quoi les pays à monnaie de réserve fondent-ils leur croissance et leur prospérité ? Le premier privilège, bien connu, réside dans le fait que, quand on paie dans sa propre monnaie, on est effectivement insensible aux aspects de contrainte extérieure, donc aux problèmes de compétitivité externe. D'où le déficit permanent, structurel, de la balance des paiements américaine : non seulement l'étranger le finance sans aucune douleur pour le pays émetteur mais, pour les raisons que l'on vient de voir, il sollicite l'existence de ce déficit, il en a besoin, au moins jusqu'à un certain point. Ce qui pourrait apparaître, au vu du déséquilibre de la balance commerciale, comme un excès de demande interne soit de consommation, soit d'investissement, est automatiquement financé par les prêteurs externes. Le pays émetteur de monnaie de réserve vit pour partie aux dépens d'un payeur anonyme, l'extérieur. C'est, pour ainsi dire, un privilège de souveraineté.

Le second privilège est de meilleur aloi, car correspondant à une vraie activité. Le gérant de la monnaie de réserve, le banquier du monde tout entier, est naturellement amené à développer la dimension financière de son économie, tous les services immatériels qui lui sont liés, et à percevoir les revenus qui en résultent : royalties, commissions d'intermédiaire, de négoce, de banque, de Bourse, rémunérations des avocats d'affaires, des cabinets d'audit, etc. Ce n'est pas un hasard si, successivement, Londres, puis Wall Street, sont devenus les centres de l'économie financière mondiale, les places principales du monde de l'argent. Ce n'est pas un hasard non plus si ces pays, assez logiquement, furent des ardents défenseurs de l'économie de marché, du marché libre, de la dérégulation et de l'innovation financières. Le problème est que ces pays, on l'a vu avec l'Angleterre, on est en train de le voir avec les Etats-Unis, finissent par être victimes de leurs propres privilèges, dans une sorte de déclin inéluctable : leur activité de production a reculé au nom d'un basculement vers l'immatériel et les services. Tuer le tiers état industriel au profit de la noblesse d'argent, préférer les « traders » aux ingénieurs puis les spéculateurs aux traders, cela a tout du miroir aux alouettes. Mais, une fois de plus, tant que cela dure, c'est assez confortable : l'étranger paie spontanément vos excès. C'est encore le cas pour les Etats-Unis, ce ne l'est plus pour la Grande-Bretagne qui est désormais face à elle-même.

L'antimodèle français

La France n'appartient à aucune de ces deux catégories : elle se veut à part. Ni économie de production, ni pays à monnaie de réserve, que sommes-nous ? Une machine à fabriquer des illusions, à se bercer d'illusions. A s'imaginer que, grâce à son génie propre, elle peut arriver à vivre aussi bien, voire mieux, que les autres, avec des recettes singulières, le tout agrémenté d'un zeste de protectionnisme supposé légitime et d'un discours colbertiste pour habiller son impuissance. Il y a dans tout cela un côté très provincial : Marine Le Pen, Jean-Luc Mélenchon, Olivier Besancenot, Arnaud Montebourg, au-delà de leurs grandes différences, sont tous des personnages de quartier, engagés dans des batailles de rues. Nous affichons un génie que nous voulons universel mais nous entendons vivre à l'intérieur de la paroisse, sans être dérangés par les autres. La France, depuis Napoléon, n'a plus rien de conquérant. Elle n'a non plus jamais été un pays impérial au sens américain ou britannique, c'est-à-dire monétaire du terme. Elle a été un pays colonisateur, ce qui est très différent, et a aidé, jusqu'à la Première Guerre mondiale, à un développement particulier, aujourd'hui épuisé, de son appareil productif.

Incapable d'une vision à long terme, elle est obsédée par sa propre histoire et sa grandeur d'antan. Tournée vers son passé sans se préoccuper de l'avenir, la France n'a que peu d'attirance pour ce qui est nouveau et donc pour l'invention au sens le plus large du terme. Nous sommes – qui l'eût cru ? – structurellement, depuis de nombreuses années, en tête dans les palmarès internationaux en matière d'écoles de commerce. Nos universités scientifiques, en revanche, sont très, très loin – grandes écoles comprises – dans le palmarès des meilleures universités du monde. Notre degré d'invention technique est faible. Il y a des raisons historiques à cela. La création des grandes écoles, c'est l'œuvre de la monarchie – les premières datent de Louis XV – mais essentiellement de la Révolution française et de la guerre. Il s'agissait pour le pouvoir étatique central de fabriquer des corps d'ingénieurs pour ses propres besoins. Or, cela est resté. A la sortie de Polytechnique, les mieux placés au classement se destinent aux grands corps de l'Etat. L'école n'a pas du tout suivi l'évolution de l'appareil productif qui n'est plus aujourd'hui dans la main de l'Etat... La deuxième caractéristique est que ces écoles sont des écoles d'ingénieurs au sens propre du terme, et pas des écoles de chercheurs ou d'innovateurs. On veut y donner aux jeunes gens une culture scientifique assez large, le cas échéant encyclopédique – ce qui est ridicule –, mais on n'y apprend ni la curiosité, ni la conquête et donc pas à découvrir, à chercher. Enfin, à la différence des universités américaines, ce sont des écoles où, en dépit de quelques efforts récents et timides, il est interdit d'avoir une vocation. Il faut juste avaler le menu indigeste qu'on vous propose. La France garde un enseignement supérieur qui, dans sa composante grandes écoles, est encore fabriqué sur le modèle monarchique ou révolutionnaire, c'est-à-dire sur un modèle étatique centralisé, totalement inadapté à l'innovation privée.

Cela est un symbole de l'incapacité de la France à se remettre en cause profondément. Mais elle ne s'interroge pas davantage sur son niveau d'investissement, son taux d'innovation, sa durée du travail. Avec, sous-jacente, l'idée que l'argent de l'Etat, je veux dire l'argent emprunté par l'Etat, peut résoudre tous les problèmes. Le grand emprunt décidé par Nicolas Sarkozy en a fourni un nouvel exemple. Le diagnostic est juste, celui d'un sous-investissement dans l'innovation technique et scientifique. Mais pour dégager des ressources, le gouvernement choisit d'emprunter, entretenant cette illusion que l'Etat est une espèce de réservoir de richesses en soi parce qu'il s'appelle l'Etat. La gauche, hélas, dans ses composantes les plus sérieuses, est sujette aux mêmes erreurs. On trouve dans une note récente de l'un de ses *think tanks* les mieux connus la proposition suivante : « Or le sous-investissement de la France est chronique », ce qui est une constatation lucide, suivie de : « C'est pourquoi Terra Nova propose un programme d'investissement annuel, un Grand Emprunt par an, de l'ordre de un à deux points de PIB, inscrit dans un programme budgétaire spécifique qui ne soit pas soumis aux arbitrages budgétaires annuels[1]. »

Les vraies questions du réglage de notre modèle macroéconomique sont éludées : est-ce qu'on joue la compétition ou pas? Est-ce qu'on accepte la mondialisation ou pas? Comment rétablir les finances publiques? Comment augmenter notre taux d'investissement? Comment mieux former nos cadres dirigeants à une économie qui est forcément une économie innovatrice? Pas un mot là-dessus : nous avons besoin à tout moment, et quelle que soit la tendance politique, de montrer que le génie français est différent et va nous permettre de résoudre à notre manière, donc sans efforts, les problèmes que les autres n'arrivent à résoudre que partiellement et à grand-peine.

Ce n'est jamais notre faute si rien ne va, toujours celle des autres, du système mondial. Alors plutôt que de changer nous-mêmes, on prétend changer l'univers. Deux exemples. Comme l'appréciation de notre croissance économique conduit à des chiffres qui ne sont pas satisfaisants – et pour cause! –, nous contestons la fiabilité de l'instrument de mesure, du thermomètre. Et l'on voit Nicolas Sarkozy, président de la République, incarnation d'une droite sans complexe, réputé libéral, qui convoque M. Joseph Stiglitz, prix Nobel d'économie qui appartient à la gauche amé-

1. Terra Nova, « Face à la désertification individuelle : investir dans l'avenir », Olivier Ferrand, mars 2011.

ricaine, pour lui faire écrire que la notion même de PIB doit être revue. Le génie français est décidément sans limite !

Second exemple, beaucoup plus grave : la remise en cause du productivisme, théorisée de façon extrême, réactionnaire et archaïque, mais du moins cohérente, par les partisans de la décroissance. Certes, notre modèle de développement actuel n'est pas soutenable à long terme tant il est dispendieux en ressources naturelles, tant il constitue, à travers le réchauffement climatique dû aux émissions de CO_2, une menace pour la survie même de l'espèce. Mais que fait-on face à ce gigantesque défi ? A peu près rien. On en parle, voilà tout. L'environnement devient un sujet de communication, voire de propagande électorale. Mais toute action sérieuse est à peu près impossible, comme l'ont montré l'échec du Grenelle de l'Environnement à fabriquer de la vraie décision et le recul sur la taxe carbone. Un nouvel impôt ? Vous n'y pensez pas, c'est bon pour les Suédois (qui l'ont mis en place depuis longtemps, à des niveaux élevés). Plus triste, une grande partie de la gauche qui se veut écolophile est pénétrée à des degrés divers par une espèce de mythe, de rêve, dans une version schizophrénique : elle est favorable à la croissance, à la hausse des salaires et du niveau de vie, mais en travaillant le moins possible au nom du refus du productivisme. Riches, verts et oisifs ? C'est oublier une contrainte incontournable dont malheureusement l'appréhension échappe au mouvement écologiste lui-même, comme inconscient de la portée réelle de son discours : le développement durable, la croissance économe, si on veut vraiment les atteindre, vont nous conduire à remettre en cause tous nos processus de production, changer tous nos modes de transport, notre habitat, nos modes de vie. Cela constitue une révolution fondamentale. Ce n'est pas une croissance douce qui va nécessiter moins d'investissements, c'est juste l'inverse pendant la transition. Pour prendre ce virage-là il va falloir demander à la population plus d'investissement et donc moins de consommation immédiate, plus d'innovation technologique, plus de science, plus de travail.

Résumons : nous avons un modèle de conquête, celui de la Chine, de la Corée, de l'Allemagne, demain du Brésil et de l'Inde, qui ont relevé tous les défis possibles et imaginables et qui ont manifestement l'intention de continuer dans cette voie. A l'opposé, un modèle anglo-saxon, celui des Etats-Unis et de la Grande-Bretagne, deux nations impériales, ou ex-impériales, qui s'appuient sur le privilège existant ou passé de l'émission de monnaie de réserve pour vivre confortablement grâce à des royalties de fait ou de droit sur le reste du monde. La France se trouve entre les deux, c'est-à-dire nulle part. Elle n'a choisi ni de se battre, ni d'assumer consciemment, volontairement, une sorte de déclin confortable. On veut encore le beurre et l'argent du beurre. On veut à la fois les hauts niveaux de revenus, les courtes durées du travail et l'absence d'efforts. Cet ensemble d'objectifs contradictoires définit un ensemble vide.

Marx et Keynes

Ce vide continue à se parer des habits idéologiques usés du keynésianisme qui sert en France, comme nulle part ailleurs dans le monde, à modeler la pensée des élites. Heureusement que Keynes était anglais : c'est la seule chose qui nous ait un tout petit peu protégés contre le fait de devenir monomaniaques, mais à peine. Le succès initial du keynésianisme en France, c'est d'abord un succès intellectuel. Après la fin de la Première Guerre mondiale, le modèle – ou contre-modèle – était communiste. Marx était l'immense étoile dans le firmament intellectuel français. L'autre idéologie, libérale, était perçue en France, non sans raisons, comme une invention anglo-saxonne d'empires à monnaie de réserve voulant, pour leur bonheur et notre malheur, un monde uniformément ouvert. Entre ces deux pôles, Keynes est apparu comme le contre-intellectuel idéal, offrant une solution théorique aux insuffisances et aux défauts du capitalisme de marché. Il a le mérite, auprès de nos dirigeants, de légitimer l'intervention de l'Etat, donc leur propre rôle et leur propre pouvoir. Par commodité, par paresse intellectuelle, tout le monde a oublié les conditions précises d'application du keynésianisme, celles d'une sous-utilisation conjoncturelle, accidentelle et profonde, des capacités de production. Le keynésianisme est devenu, dans l'univers intellectuel français, la version rénovée, sociale-démocrate, politiquement correcte, du marxisme d'antan. Il donne une justification moderne aux dernières rémanences du centralisme révolutionnaire, qui va si bien avec l'histoire française.

Car si Keynes a remplacé Marx, il ne l'a pas totalement effacé. Il nous reste des grandes luttes ouvrières de la fin du XIXe siècle et de notre fascination, aujourd'hui disparue, pour la révolution soviétique, une détestation profonde du capital. Prenons quelqu'un d'aussi modéré, d'aussi tranquillement représentatif, sans originalité particulière, de la gauche française que Jean-Marc Ayrault, député-maire de Nantes et président du groupe socialiste à l'Assemblée nationale. Commentant le projet du PS pour 2012, il écrit sans hésitation : « Nous nous adressons au peuple plutôt qu'à l'actionnaire. » L'actionnaire ne fait-il donc pas partie du peuple ? Ou rêverait-on d'un peuple enfin pur, c'est-à-dire sans actionnaire ? Et encore : « Il faut renforcer l'impôt sur la rente et le capital pour alléger celui qui pèse sur les revenus du travail [1]. » Quel aveu ! Le capital est associé à la rente, donc à l'oisiveté, et sa rémunération est par essence excessive. Supprimons donc capital et actionnaire (les deux vont ensemble). On se plairait volontiers à demander aux socialistes français s'ils savent à quoi sert le capital dans une économie.

1. *Le Journal du dimanche*, 10 avril 2011.

En fait, il existe en France un vrai refus du marché. Celui-ci n'a toujours été que toléré, l'Etat se considérant comme l'organisateur incontournable et indépassable des forces productives. La première libéralisation, dans l'histoire française, date de Napoléon III, une parenthèse qui a changé beaucoup de choses dans le paysage économique, mais qui a été courte. La France a été protectionniste, pratiquement sans interruption jusqu'en 1956. Il a fallu l'Europe, la création du Marché commun pour que l'idée même de marché soit acceptée. Colbert est, encore aujourd'hui, une référence empreinte de nostalgie. Et parce qu'il n'y a jamais eu de reconnaissance du marché en France, il n'y a jamais eu non plus de reconnaissance explicite de l'entrepreneur, c'est-à-dire du vrai créateur de richesse et de croissance. On le célèbre certes, mais comme une référence abstraite, hors marché et bien entendu sans capital. Il est populaire tant qu'il reste petit.

La pensée économique libérale est rejetée par principe. Bien entendu elle est, comme toute idéologie, critiquable par maints aspects. Encore faut-il la comprendre pour mieux en saisir et les forces indéniables et les graves faiblesses. Or elle a fait l'objet d'un rejet massif de la part des milieux universitaires, presque entièrement inspirés par la pensée de Marx puis de Keynes. Les ouvrages de Hayek n'ont été que tardivement traduits en français. De la même façon, à gauche en tout cas, Aron était jeté aux orties quand Sartre était porté aux nues. De façon symbolique aussi, le grand penseur libéral de la fin du XIXe siècle, Léon Walras, n'a jamais pu enseigner en France. Il n'avait pas les diplômes voulus, il est donc parti en Suisse, ce qui fait qu'il n'a joué aucun rôle sur la scène politique ou économique française. Walras est pourtant un immense économiste, auteur d'une très belle, très élégante représentation de l'équilibre général.

Le modèle fermé

Maurice Allais, notre seul prix Nobel d'économie, est à maints égards emblématique par ses allers-retours des contradictions françaises. Il a commencé par être libéral, les travaux qui lui valent reconnaissance internationale étant dans la continuité de l'équilibre général walrassien. Puis il est devenu plus tard farouchement protectionniste, hystériquement opposé au libre-échange – ce qui fait d'ailleurs son succès aujourd'hui, aussi bien à l'extrême gauche qu'à l'extrême droite de l'échiquier politique français, de Jean-Luc Mélenchon à Marine Le Pen. En matière monétaire, il a commencé par dénoncer, ce qui était plutôt rare en France, les dangers de l'inflation, considérée comme un mal absolu. Il était donc aligné sur l'école monétariste de Chicago, à l'opposé même de Keynes. Au nom de cette pureté doctrinale sur la création monétaire, il a défendu la thèse qu'il faut enlever le pouvoir de battre monnaie aux banques et le redonner entièrement à l'Etat. La thèse est respectable : sauf que, moyennant quelques graves approximations, elle a permis de développer un nouveau mythe, de découvrir un nouveau « trésor caché ».

Des économistes proches de ATTAC ont récupéré les thèses du pauvre Maurice Allais pour affirmer haut et fort que, si l'Etat s'endettait directement auprès de la Banque centrale, il paierait un taux d'intérêt nul. Donc, si on parvenait à se débarrasser des banques, incarnations particulièrement diaboliques du capital, la dette publique deviendrait soudain à coût nul, sans autre dommage pour l'économie. C'est une pure ânerie, déjà entendue en 1982-1983, lors du « tournant de la rigueur » du premier septennat de François Mitterrand, de la part des partisans de la fuite en avant : les idées fausses ont la vie dure. Surtout quand elles sont plaisantes à entendre. Dire que les charges d'intérêt qui pèsent lourdement sur le budget de l'Etat ne sont dues qu'à la coupable cupidité des banquiers commerciaux auxquels des dirigeants politiques complices de leur enrichissement ont scandaleusement affermé le privilège souverain de la création monétaire, est politiquement commode. Superbe retour au centralisme démocratique, dans sa version monétaire, qui permet de justifier *ex-post* le dérapage permanent des finances publiques et surtout de le projeter vers l'avenir : si le taux d'intérêt payé par l'Etat sur sa dette est nul, pour ainsi dire par fondement, alors il n'existe plus de limite à son endettement. L'anticapitalisme est parfois magnifique : vive la dette publique en expansion, vive la révolution !

De fait, depuis les physiocrates et Quesnay, depuis Walras expatrié, depuis, après la Seconde Guerre mondiale, les inventeurs aujourd'hui oubliés de la comptabilité nationale et des techniques quantitatives (Claude Gruson, Edmond Malinvaud), la France n'a pas eu de grands économistes. Elle a compté de superbes utopistes, comme Fourier, qui est, lui, animé du rêve d'une vie paisible et bien organisée dans un univers clos, d'une sorte de retour à la tribu primitive coupée du monde (il est vrai que lui et son entreprise avaient auparavant fait faillite dans une spéculation malheureuse). Ce vieux mythe n'est d'ailleurs pas mort : on peut en voir un avatar dans le rejet par les Français, plus que tout autre peuple, de la mondialisation. Tous les sondages l'indiquent. La France est de loin le pays le plus hostile, bien plus que nos proches voisins, l'Italie, l'Allemagne, l'Angleterre, l'Espagne, sans parler des Etats-Unis, de l'Asie, des pays émergents, à la mondialisation. Celle-ci fait peur parce qu'elle menace nos habitudes, notre confort et notre tranquillité. Alors qu'au contraire, dans les pays de conquête, mais pas seulement chez eux, elle est perçue comme une chance et comme une opportunité de s'enrichir et d'augmenter son propre niveau de vie. D'où cette tentation toujours forte, en France, de l'isolement, du repli sur soi, du protectionnisme, d'où cette idée d'ériger d'illusoires barrières pour nous protéger de la concurrence étrangère et préserver nos emplois. Pour vivre heureux, il faudrait vivre cachés, tapis. La mondialisation, c'est le mouvement, donc surtout restons immobiles. Au lieu de partir à l'offensive et de conquérir des marchés, choisissons la défensive et dressons des fils de fer barbelés. Cette tentation de la ligne Maginot, de la « bunkérisation » trouve son expression la plus extrême, si l'on peut dire, dans le programme de Marine Le Pen qui veut sortir de l'euro et dresser des barrières douanières. Mais elle est aussi présente, à des degrés divers, ce qui est beaucoup plus grave et inquiétant, dans l'immense majorité de la classe politique française. Lequel de nos dirigeants oserait en France vanter à la télévision les bienfaits de la mondialisation ? Qui oserait dire qu'elle a permis, en quelques décennies, à des centaines de millions de Chinois, de Brésiliens, d'Indiens de sortir de la misère ? Pour être économiquement et politiquement correct, il convient de la dénoncer publiquement, de préférence avec les mots les plus durs possibles, et de présenter, pour se faire bien voir du peuple, les moyens de la combattre. D'une certaine façon, le traitement international des problèmes économique par Nicolas Sarkozy est conforme. Que dit-il, en substance, en prenant la présidence du G20 ? « La mondialisation, ça ne marche pas, cela crée du désordre monétaire, cela fait monter le prix des matières premières, mais vous allez voir ce que vous allez voir, je vais mettre de l'ordre dans tout ça, je vais mettre la mondialisation au pas. » Rien à dire à cet éclat de voix s'il ne s'agit que de mieux réguler ce qui doit l'être. Mais la formulation est toujours ambiguë, sans doute volontairement, qui fait que l'on ne sait plus très bien quel est l'objet de l'attaque, la mondialisation en soi ou certaines de ses conséquences.

Encore n'est-il pas sur ce sujet le plus coupable, se contentant d'adapter sa communication aux humeurs de l'opinion publique. L'extrême droite et l'extrême gauche sont protectionnistes. José Bové est protectionniste, au nom du fantasme de l'autosuffisance alimentaire. La gauche et la droite souverainistes sont protectionnistes à des degrés divers. Jean-Pierre Chevènement, incarnation parfaite du modèle français, tous archaïsmes inclus, est protectionniste. Une partie du centre l'est également, que préoccupent les destructions d'emplois, fortement exagérées, dues à la mondialisation : l'adhésion à l'idée européenne permet de plaider sans état d'âme pour la préférence communautaire. Mais les formations de gouvernement, celles qui exercent le pouvoir ou s'y préparent, expriment de manière étonnamment convergente le même point de vue. Xavier Bertrand, ministre du Travail, se déclare publiquement en faveur d'un « protectionnisme raisonnable et raisonné ». Ne faut-il pas répondre au besoin de protection des Français[1] ? Quelle différence avec l'« échange juste » du parti socialiste et des écologistes les plus sérieux? Le projet du PS soumet la liberté de l'échange international au respect par les

1. Colloque organisé à Rennes par *Libération*, 14 avril 2011.

partenaires de normes sociales et environnementales prédéterminées. Belle hypocrisie ! Parlons vrai : on s'adresse en fait aux pays dont on importe les biens et que l'on menace de droits d'entrée sur le territoire français. Sont dans la ligne de mire la Chine et, avec elle, l'ensemble des pays émergents. Que leur demande-t-on exactement ? Quelle autorité, nécessairement internationale si l'on est sincère, va définir la norme ? Faut-il protéger l'équilibre écologique de la planète ? Certes. Mais qui émet davantage de CO_2, le Français ou le Chinois moyens ? Quels produits échangés en sont davantage porteurs et de quelle provenance, la France ou la Chine ? Enfin, demandera-t-on aux exportateurs étrangers de prouver qu'ils paient, sur leur territoire, les mêmes charges sociales que nous avons imposées à notre appareil productif ? Notre système de protection sociale, certes admirable mais qui est celui d'un pays riche, doit-il être généralisé au monde entier pour que l'échange soit juste ? La Chine et l'Inde doivent-elles réinventer la Sécurité sociale et l'assurance-maladie pour avoir le droit d'exporter ? De quoi parle-t-on exactement ? A moins que tout cela, comme il est probable, ne soit qu'une accumulation de concepts flous, ne constitue qu'un discours verbeux, à fins électorales : les Français ne souhaitent-ils pas être protégés ? Eh bien, on leur offre une protection qui ne coûte pas grand-chose, fictive, faite de bonnes paroles. En ce sens, le concept de démondialisation est bien, comme l'a noté Pascal Lamy, un concept réactionnaire : « La proximité, elle, ne ment pas. »

Mais la démondialisation est aussi un mythe : elle est purement et simplement impossible, sauf évolution catastrophique du monde. Comme le faisait remarquer un des intervenants sur mon blog, « le pourcentage de biens de consommation importés par l'Europe et produits par l'Asie est tel que le retour au protectionnisme viderait les rayons de nos super et hypermarchés. Ah, l'heureux temps de l'URSS des années 1960, quand les fils de hauts fonctionnaires payaient des fortunes pour un simple jean, introuvable dans leur pays. Dans l'autre sens, les marchés du grand large (Amériques, Asie) représentent un tel débouché pour les entreprises européennes qu'une généralisation du protectionnisme provoquerait la plus colossale vague de licenciements de notre histoire économique », comme ce fut déjà en partie le cas en 1929. De façon plus intégrée, les chaînes de production n'ont désormais plus de nationalité unique et revêtent un caractère multinational, chaque maillon pouvant être produit dans une région différente de la planète. En matière d'électronique ou d'informatique, nous dépendons pour partie de nos importations en provenance de Taiwan, du Japon, des Etats-Unis pour développer nos propres produits. Que deviendraient les voitures, les avions, les équipements « made in France » si ces alimentations étaient interrompues ?

De manière plus pressante, comment assurerait-on nos importations irréductibles de matières premières si la liberté du commerce était mise à mal ? Sans l'uranium du Niger et du Canada, EDF peut déposer son bilan et, nous, renoncer à nous éclairer sinon à la chandelle, laver linge et vaisselle à la main et faire en vélo nos courses journalières afin de garnir le garde-manger qui aura remplacé le frigo. J'exagère ? Certes, le trait est forcé. Encore que... En mars 1993, au plus fort de la bataille sur le maintien du franc dans le SME ou sa sortie, avec les mêmes arguments que ceux aujourd'hui utilisés par les partisans divers du protectionnisme, François Mitterrand demanda au Premier ministre d'étudier les conséquences d'une réduction rapide et autoritaire de 10 % de nos importations, par tous moyens appropriés : droits de douane, contingents... On voit bien l'origine de cette pensée, disons très simple : le chiffre correspondait au déficit de notre commerce extérieur. Réduisons d'autant les importations : plus de déficit, plus de problèmes. Il me suffit de vingt-quatre heures et de faire tourner un modèle macroéconomique d'ensemble pour affirmer très vite le résultat d'une action aussi « volontariste » et « politique » : l'appareil productif français se serait tout entier arrêté de fonctionner. Les interdépendances étaient déjà trop fortes. De toute façon, nous n'avons aucune chance d'être entendus dans ce type de croisade donquichottesque. Comment et pourquoi les pays européens qui jouissent d'un excédent commercial renonceraient-ils aux revenus et aux activités induits par l'échange international ? Allemagne,

Pays-Bas, Suède, Autriche, Finlande, Belgique, Danemark, Suisse, Norvège, cela fait du monde à convaincre pour Arnaud Montebourg. Nous le savons éloquent, mais quand même…

Un commerce mondial certes régulé, mais libre de restrictions qui ne seraient pas volontairement consenties par la communauté des nations, est une condition de notre prospérité. Tout autre présentation de la part de nos dirigeants n'est pas seulement économiquement absurde et mensongère, elle contribue aussi à nourrir largement le pessimisme, sans équivalent dans le monde, de nos compatriotes, à entretenir leur profond mal-être économique. Les enquêtes d'opinion sont là encore édifiantes. Les Français se plaignent plus de leur sort économique que les Vietnamiens ou les Irakiens, alors que leur niveau de vie est plusieurs dizaines de fois supérieur. Ils ont peur, ils se méfient, craignent ce monde qui va trop vite pour eux. Or si les Français ne retrouvent pas confiance en eux-mêmes, il n'est pas de redressement possible. La confiance est une des clés du bon fonctionnement de l'économie. Il faut avoir confiance dans l'avenir pour échanger, pour consommer, pour investir, pour innover, pour conquérir. Croissance rime avec confiance. A condition de coller au principe de réalité : qui ment au peuple, par démagogie ou simple électoralisme, engendre la méfiance.

3

Le marché destructeur?

Vous semblez presque plus véhément quand il s'agit de dénoncer les méfaits du keynésianisme que ceux d'une théorie qui était portée aux Etats-Unis par le président de la Réserve fédérale Alan Greenspan, celle de l'efficience des marchés, du free market, *théorie selon laquelle il faut faire confiance aux marchés parce qu'ils ne commettent jamais d'erreurs et qu'ils savent parfaitement s'autoréguler. De fait, avec la crise, on a plutôt eu le sentiment qu'ils s'autodétruisaient. On a aussi l'impression que des éléments non directement économiques avaient été à l'œuvre dans le mécanisme même de la crise, comme par exemple le désir de richesse et la cupidité chez les banquiers. Pour les expliquer, vous avancez une théorie de la « prédation ».*

L'idée selon laquelle le marché est efficient, ne se trompe jamais et donc n'a pas besoin d'être régulé est une illusion. Pour plusieurs raisons : le marché ne traite pas ce que les économistes appellent, dans leur jargon un peu compliqué, les effets externes. On peut prendre l'exemple simple et connu de la pollution. Une entreprise construit une usine là où c'est le plus rentable de l'installer, par exemple au bord d'une magnifique rivière, rejette des effluents toxiques qui font mourir toutes les truites qui s'y trouvent : le marché ne sanctionne pas ce type de comportement. Il faut que la justice s'en mêle, que l'association locale des pêcheurs porte plainte pour que l'entreprise pollueuse finisse éventuellement par subir les conséquences financières de ses actes et par verser des dédommagements. Depuis longtemps on sait que le marché permet à chaque acteur économique pris individuellement d'essayer de rechercher son profit maximum ou sa satisfaction maximale, quelles que soient les incidences et les conséquences de son comportement sur autrui. En réaction à cela, les Etats ont inventé le principe du pollueur-payeur, par exemple de la taxe carbone, et l'idée d'un certain nombre d'interventions de nature fiscale pour corriger les conséquences externes négatives du comportement des acteurs. Ajoutons enfin que personne n'a la capacité de prédire l'avenir, pas plus les marchés, quoi que prétendent certains économiste « scientistes », que les individus : les marchés à cet égard sont aveugles alors qu'ils survendent leur talent de voyance.

Marché et endettement

La crise a révélé deux choses, très intéressantes et très profondes. La première, évoquée dans le chapitre précédent, est que les pays anglo-saxons, héritiers de la fonction de fournisseurs de monnaie de réserve pour le monde entier, ont pris l'habitude de vivre avec un déficit de leur balance extérieure, afin de pouvoir alimenter le monde en liquidités. On a déjà attiré l'attention sur le côté destructeur que cela avait sur leur appareil productif, au sens industriel du terme. Qui présente un déficit structurel de balance commerciale est nécessairement endetté. Le modèle atlantique de *free market*, à partir du moment où il se bâtit sur une fonction de fournisseur ancien (Royaume-Uni) ou actuel (Etats-Unis) de monnaie de réserve, est un modèle d'endettement. Le monde entier met en dépôt auprès des pays émetteurs la monnaie internationale que ces derniers ont émise. De ce point de vue, d'ailleurs, il y a quelque chose de commun, de paradoxalement commun, entre le modèle atlantique du *free market* et le modèle keynésien. C'est, dans les deux cas, une espèce de primauté, ou de vertu prêtée à la notion même d'endettement. Keynes d'un côté, les adeptes du libre marché de l'autre, chantent avec des timbres différents le même air : vive la dette! « Enrichissez-vous par l'endettement », tel est le mot d'ordre que l'on propose au bon peuple, qui ne demande qu'à se laisser convaincre : c'est tellement agréable.

Oubliés l'épargne et le travail qui justifiaient le commandement de Guizot. Dans cette morale du plaisir, nul principe de modération. Les emprunteurs empruntent, le plus possible, qu'ils soient Etats, *hedge funds*, entreprises ou ménages.

La dette est la matière première du système financier. Il fabrique, émet, souscrit, place, négocie de la dette et gagne de l'argent sur chaque transaction. Livrée à elle-même, échappant à toute régulation, la sphère financière serait condamnée à l'explosion, donc à la faillite. Pour une raison simple : l'offre et la demande de dettes sont potentiellement infinies. Les demandeurs sont les emprunteurs, qu'ils soient publics ou privés. Si rien ne vient freiner la tentation, comment résister au désir de dépenser ce que l'on n'a pas gagné et qui est payé par autrui ? Empruntons, empruntons ! Et l'offre peut suivre sans limite, puisqu'elle est pour une large partie créée *ad libitum* par les professionnels eux-mêmes. La monnaie, dématérialisée, est fabriquée sans plus d'effort par les banques. Les assureurs ou les vendeurs de produits dérivés prennent d'un trait de plume (la signature d'un contrat) des engagements à payer dans telle ou telle circonstance. Les uns et les autres créent ainsi de la dette. Plus ils le font, plus leur chiffre d'affaires s'accroît et donc leur prospérité apparente. Pourquoi s'autolimiteraient-ils s'ils n'ont pas conscience des risques associés, ou, de manière plus perverse, s'ils parviennent à les renvoyer sur les autres acteurs de l'économie ? Réguler la finance, c'est réguler la dette, publique ou privée, et contenir son accroissement.

La crise récente, au-delà de ses côtés accidentels et des défaillances de la régulation, c'est d'abord une crise d'excès d'endettement. Que ce soit de la sphère publique – théorie keynésienne – ou de la sphère privée –, triomphe du marché. Si la dette est pour ses émetteurs un facteur d'enrichissement, il importe que son niveau global demeure contrôlé : une économie trop endettée est sujette à des oscillations dramatiques, que rien ne vient spontanément amortir. La tentation de la dépense publique, qui permet à un gouvernement de contenter au seul prix de l'endettement tant de citoyens, donc d'électeurs, l'emporte sur tout esprit de sagesse. Aucun mécanisme interne n'arrête la montée de la dette publique. Il faut venir buter sur la contrainte de « soutenabilité », s'apercevoir soudain que les prêteurs nationaux ou étrangers deviennent réticents à renouveler leurs concours pour que, à la veille de la catastrophe, des mesures de redressement douloureuses soient enfin prises. Le pouvoir de régulation de son propre comportement est extérieur à l'Etat, tout entier entre les mains de ses créanciers. Et c'est la société civile qui, devenue consciente, imposera peut-être un jour la disposition constitutionnelle de bon sens qui permettrait à l'Etat de n'emprunter que pour investir, lui imposant de financer par des ressources définitives l'intégralité de ses dépenses de fonctionnement.

Il en va de même dans l'ordre privé. Deuxième enseignement tiré de la crise, et qui l'éclaire beaucoup : l'endettement au niveau individuel constitue une vertu, mais jusqu'à une certaine limite. Les entrepreneurs ne sont pas légion, ni nécessairement fortunés de naissance. Les riches, détenteurs d'un patrimoine à placer, ne sont pas nécessairement entrepreneurs. Le financement de l'investissement, condition de la croissance, étant d'intérêt général, il en va de même de l'organisation d'un véritable marché financier où l'épargne des uns, qui ne sont pas capables de la faire fructifier par eux-mêmes, est prêtée aux autres qui n'auraient pas sinon les moyens de leurs ambitions. En l'absence d'une telle rencontre, l'économie souffrirait d'une forme de langueur difficile à corriger.

Cependant, les actionnaires d'une société cherchent à maximiser leur profit ou plus exactement le taux de rendement de leurs fonds propres, de leur capital. Tous les financiers savent que, pour ce faire, à taille de bilan donné, donc à taille d'activité donnée, on a intérêt à réduire les fonds propres et à augmenter l'endettement. C'est ce qu'on appelle l'effet levier : moins de capital immobilisé, remplacé par plus de dettes. Quel est l'inconvénient de cet effet levier alors que grâce à lui on peut aller chercher des taux de rentabilité très élevés ? On touche ici à l'un des conflits aigus, l'une des contradictions profondément installées de l'économie capitaliste. La volonté d'enrichissement des détenteurs du capital, des entrepreneurs-actionnaires les incite à pousser au maximum l'effet-levier, à s'endetter plus que de raison. L'appât du gain les y pousse, qui n'est que l'une des facettes de l'esprit d'entreprise. Une économie d'endettement est une économie d'optimisme, parfois sans fondement. Tant que tout se passe bien, on assiste à un simple transfert de richesses entre d'une part les prêteurs qui se contentent du taux d'intérêt et de l'autre les actionnaires qui atteignent un taux de profit beaucoup plus élevé en faisant travailler les sommes empruntées. Les prêteurs acceptent de renoncer à une partie de la rentabilité que les actionnaires captent.

Mais lorsque des circonstances moins favorables apparaissent, que le jeu se renverse, lorsqu'on entre dans les périodes risquées, sombres, dangereuses, la contrepartie de cette accumulation antérieure de profits dus à l'endettement, à l'effet levier, c'est que, en cas de défaillance des actionnaires, la totalité du risque est renvoyée sur la collectivité : l'effet externe est fortement négatif. La faillite de Lehman Brothers en est une illustration parfaite. Son patron, Dick Fuld, est parti avec plusieurs centaines de millions de dollars de richesse personnelle accumulée pendant les années fastes, et il a renvoyé plusieurs dizaines de milliards de dollars de pertes finales sur le contribuable américain. Mais aussi, compte tenu de l'effet de propagation, sur un certain nombre de contribuables européens ou d'ailleurs dans le monde. La crise des *subprimes*, c'est cela : pas de contrôle, des accumulations de risque excessif dans la sphère financière, la recherche systématique d'une rentabilité très élevée, trop élevée, en usant et en abusant de l'effet levier. En outre, l'une des règles d'or du capitalisme selon laquelle chacun, libre de ses actes, peut s'enrichir sans limites si, *a contrario*, il subit toutes les conséquences de choix malheureux, a été jetée aux orties. L'entrepreneur qui s'endette risque de perdre ses fonds propres, ce qui devrait le rendre prudent. Mais le mécanisme même des sociétés par actions limite précisément sa perte à sa mise initiale quand ses espoirs de gain n'ont pas de plafond. Jusqu'à la fin du XIXe siècle, les risques pris par les entrepreneurs étaient garantis par leur fortune privée. La forme juridique dominante était la commandite dans laquelle le gérant est responsable sur ses biens personnels en cas de faillite. Rien de tel aujourd'hui. Jusqu'à la fin des années 1970, toutes les banques d'investissement des Etats-Unis étaient organisées en *partnership*, c'est-à-dire en commandite. Mais la forme de la société anonyme a peu à peu tout envahi. Dans des structures à effet levier considérable, des masses énormes de capitaux peuvent être rassemblées sans que ni les dirigeants, ni les actionnaires voient s'accroître leur risque personnel. Ainsi peuvent-ils devenir riches dans les bonnes périodes puis, fortune faite, partir en laissant les Etats se débrouiller avec les conséquences des faillites provoquées par leur irresponsabilité.

De la cupidité à la prédation

Si on fait une seconde de philosophie, le désir d'enrichissement est un moteur fondamental de l'activité économique, de l'activité humaine. Que le désir légitime d'enrichissement personnel se transforme en cupidité individuelle n'est pas très grave. Mais quand cette cupidité individuelle s'agrège, devient une norme sociale, une norme de fonctionnement d'une partie de l'appareil économique, on entre dans des zones extraordinairement dangereuses. Or le système financier, étroitement lié au modèle de *free market* anglo-saxon, est devenu un lieu d'agrégation, de socialisation de la cupidité. A Wall Street ou à la City, avec cette hypertrophie de la sphère financière, le désir irrépressible d'enrichissement qui est en chacun de nous trouve d'extraordinaires satisfactions, en marge d'une activité pourtant peu exaltante. Les enrichissements qui ne sont pas liés à une activité productrice ont des caractéristiques communes qui les rendent mortifères dès que la dose limite est dépassée. Ils n'ont, par nature, qu'une faible utilité sociale au-delà de la satisfaction personnelle de ceux qui les recherchent. La perte y est aussi probable que le succès, ce qui en fait des activités à niveaux de risque élevés, sans beaucoup de contrepartie utile. Wall Street et la City illustrent, de façon extrême, le règne des « prédateurs », pour qui, au fond, toute participation, réelle ou supposée, à une activité d'intérêt général légitime le gain individuel puisque le lien entre l'une et l'autre est affirmé comme naturel et exclusif. La cupidité n'a plus de bornes si la contribution de chacun à l'utilité sociale est mesurée par principe à l'aune de sa fortune personnelle. « Je suis riche, donc utile à la collectivité à hauteur même de ma richesse » est un slogan incontournable si la prospérité collective est par définition la somme des prospérités individuelles. Redoutable tautologie, fermée sur elle-même, qui justifie tous les débordements. Les banquiers de Wall Street et de la City ont fait dévier le libéralisme de ses principes originels. S'il est exact que la volonté d'enrichissement individuel est la condition de l'enrichissement collectif, il est faux d'en déduire que toute activité lucrative participe à l'intérêt général à hauteur même des gains individuels qu'elle engendre.

Nationaliser le crédit ?

A ce sujet, et surtout lorsqu'on s'aperçoit qu'à Wall Street et à la City tout ou presque semble reparti comme avant, comme si rien ne s'était passé, on regrette qu'une telle dérive n'ait pas été davantage analysée et les pratiques de la sphère financière comme le statut des banques remis plus fondamentalement en cause. Le débat s'est refermé beaucoup trop vite. L'application de l'effet levier par chacune des entités élémentaires de la sphère financière a conduit globalement à un surendettement de l'ensemble et à un développement démesuré.

On me dit que cette hypertrophie de la finance est le seul moyen d'assurer la liquidité de l'ensemble de l'économie. L'argument de la liquidité, sous prétexte que des marchés très larges, très profonds, permettent à n'importe quel vendeur de trouver à tout moment un acheteur en face de lui, est fallacieux dans la mesure où, sur un marché, le prix n'est jamais certain. Les prix fluctuent. Le coût de la liquidité, sur un marché libre, c'est la volatilité des prix : je peux toujours revendre ce que je viens d'acheter, mais je ne sais pas à quel prix. La seule vraie liquidité, c'est la monnaie, l'unité de compte dont la valeur est fixe par convention. Ce qui veut dire que toute cette énorme pyramide d'endettement, qu'elle soit publique ou qu'elle soit privée – chacune des deux catégories porte sa partie des méfaits –, repose toujours sur la même et unique création monétaire. C'est la faiblesse majeure de tout système financier dont il faut regretter qu'elle n'ait pas été analysée complètement. La banque est une contradiction en elle-même : d'un côté, à son passif, elle gère de la monnaie, qui est un bien public, essentiel, qui doit être préservé de toute atteinte; de l'autre, elle émet cette monnaie en contrepartie des crédits qu'elle accorde et qui sont autant de risques par nature privés, variables, fonction de la conjoncture, de la santé des emprunteurs et dont le remboursement est donc toujours incertain. Cette contradiction fondamentale n'a jamais été étudiée jusque dans ses conséquences ultimes. Bien entendu, à partir du moment où la monnaie est un bien public, on a les linéaments d'un discours qui devrait conduire à la nationalisation du crédit. Pourquoi ne le fait-on pas? Pour la raison même que l'Etat a toujours eu un comportement impur dans le passé. C'est-à-dire qu'il a balancé entre un désir de défendre la valeur de la monnaie, de protéger ce bien public tout en faisant monter, inexorablement, au nom du keynésianisme, son propre endettement. Mais quand celui-ci augmente au-delà des limites acceptables ou quand le crédit privé est accordé de manière trop extensive, la monnaie se trouve détruite par l'inflation ou compromise par les faillites bancaires. L'idée de faire gérer la contradiction inhérente à la banque par des pouvoirs publics qui en sont eux-mêmes affectés est douteuse. D'ailleurs les expériences de nationalisations du crédit, jusqu'à présent, ont toujours plutôt échoué, précisément à cause de ce mélange des genres.

Une petite anecdote personnelle à ce sujet. En 1993, alors que je venais d'être nommé à la présidence du Crédit Lyonnais, banque nationalisée et pourtant en quasi-faillite, j'ai eu la visite d'une officielle chinoise qui était la chef de la section du comité central du Parti communiste de Chine, chargée de la réorganisation du système bancaire. A l'époque, la Chine avait une montagne d'impayés dans son système bancaire, qui était bien entendu totalement public et nationalisé, comme il se doit dans un pays marxiste-léniniste. Elle était donc venue me consulter – elle portait d'ailleurs l'habit traditionnel et austère des ouvrières chinoises, elle n'était pas du tout comme les Chinoises d'aujourd'hui qu'on voit dans les brochures, elle ne parlait pas un mot d'anglais, il y avait un traducteur, tout cela conférait à notre rencontre un côté pittoresque – et je me souviens assez précisément d'un moment de notre conversation qui m'a marqué. Je vous restitue de mémoire le dialogue.

« Vous êtes une banque nationalisée? m'avait-elle demandé.

— Oui, oui, nous sommes une banque nationalisée ».

— Vous êtes nommé par qui?

— Je suis nommé par le président de la République.

— Donc c'est une nomination politique?

— C'est une nomination par l'Etat.

— Donc une nomination politique.

— Non, par l'Etat.

— Et comment vous faites pour dire non à un crédit qui vous est demandé par un représentant de l'Etat?

— Eh bien, c'est très simple, je dis non! »...

Cette dernière réponse l'a déconcertée tant elle était pour elle inconcevable. Comment résister aux demandes permanentes des secrétaires locaux, régionaux, nationaux, du parti communiste demandant de prêter à telle entreprise pour l'empêcher de faire faillite, pour relancer l'investissement, pour soutenir la demande, etc. Plus généralement, notre dialogue était l'illustration même de ce mélange des genres et de la contradiction que présente le fait de laisser la gestion du crédit à des établissements contrôlés par l'Etat.

On voit que le financement de l'économie réelle la plus fondamentale, celle qui est engagée dans la production de biens et de services dont l'utilité sociale est sans discussion, oblige les banques à des disciplines complexes. De leur réponse dépend pour une large part l'équilibre global entre risque et croissance sur l'économie tout entière. On sent bien qu'un optimum doit exister : pas de risque, pas d'investissement donc pas de croissance. Mais, à l'inverse, trop de risques, trop d'investissements malheureux et trop de perte de croissance par destruction de valeur : cela ne vaut guère mieux. La régulation de la dette, tant en montant qu'en qualité, est l'affaire des prêteurs et d'eux seuls : les emprunteurs en veulent toujours plus. A cet égard, le système bancaire qui fournit l'alimentation en monnaie joue un rôle central. Le faire participer au financement des investissements est sans doute une nécessité si l'on veut soutenir la croissance. Mais attention au risque ! Le financement, au moins partiel, des investissements par le système bancaire est incontournable dans les économies où l'épargne spontanée n'est pas suffisante et où l'Etat n'est plus capable d'assumer la fonction de développeur de long terme. Ainsi chez nous, où l'intermédiation bancaire finance l'économie réelle à hauteur des trois quarts de ses besoins, le marché donc l'épargne représentent le solde, alors que la proportion est inverse aux Etats-Unis. Est-ce un avantage, est-ce un inconvénient ? Encore faut-il ne pas négliger les conséquences dangereuses d'une telle situation pour la stabilité du système bancaire lui-même. La première est qu'il est ainsi amené à prendre des risques plus élevés. Le financement très en amont des investissements est plus incertain que celui des cycles de production ou de commercialisation, l'hypothèse de l'échec plus fréquente. Demander aux banques d'accompagner les entrepreneurs le plus tôt possible, dès la naissance de leurs projets, a pour effet inéluctable d'augmenter la proportion de leurs crédits compromis. Jusqu'où peuvent-elles raisonnablement aller dans cette direction ? Jusqu'où peuvent-elles prendre le risque d'entreprise sans en partager la rémunération ? Les réponses ne vont pas de soi.

Le grand enseignement de la crise, c'est qu'il faut toujours manier la dette avec précaution. Qu'on soit ménage, entreprise, banque ou Etat. De la même manière que la sphère privée a fabriqué de l'excès d'endettement par la recherche d'enrichissement personnel, par cupidité, la sphère publique a fabriqué de l'endettement public par commodité politique. L'endettement, au moment où il est créé, où il est souscrit, ne coûte rien. Ce n'est pas de l'impôt, il ne fait de mal à personne, c'est une ressource douce, indolore, et donc, pendant trente ans, à peu près tous les pays développés ont appliqué la « théorie keynésienne ». Ou ce qu'ils en ont retenu, ou ce qu'ils ont cru en comprendre. Comprenez ma véhémence : ils l'ont fait sans aucune utilité, et ont fabriqué une énorme dette publique. Il suffit de voir à quels niveaux, déjà très élevés, se situaient les niveaux de dette publique avant que survienne la crise financière, avant l'explosion des *subprimes*. La dette publique est devenue colossale, gigantesque lorsque les Etats ont dû trouver de l'argent pour sauver leur système financier et tenter, conformément aux principes keynésiens enfin justifiés dans ce moment précis, de soutenir la demande. C'est ainsi que la crise de la dette privée s'est vite transformée en crise des finances publiques. Les deux se répondent. Le problème n'a fait que se déplacer, sans aucunement se résoudre.

Le monde vit aujourd'hui un vrai paradoxe. Le problème de l'insoutenabilité des dettes publiques est un problème de pays développés : Etats-Unis, Europe et Japon. Comment expliquer que dans les pays riches, à niveau de vie élevé, le stock de dette publique se monte en moyenne à 100 % des PIB annuels alors qu'il n'est que de moins de 50 % dans les pays émergents, beaucoup plus sages ? Les gouvernements des pays prospères sont les plus irresponsables et entendent cependant gouverner le monde. Curieuse situation qui souligne la sensibilité des vieilles démocraties à la tentation démagogique.

La régulation nécessaire

Quelles conséquences pratiques tirer de ces considérations ? D'une part, la dette publique doit être réduite, mise sous contrôle plus strict. De l'autre, la sphère financière doit être étroitement régulée.

La France, pour une fois, est sur ce point dans une situation plutôt meilleure que les autres pays européens. Son système bancaire et financier a traversé la crise dans de meilleures conditions que ses homologues britannique, irlandais, allemand ou espagnol. Les activités de nos banquiers sont sans doute moins spéculatives qu'ailleurs et surtout le crédit immobilier, grand porteur de risques systémiques, est distribué chez nous de façon plus rigoureuse. Cependant, il est exagéré de prétendre que tout va pour le mieux. Paradoxalement, les banques privées étaient depuis longtemps convenablement gérées si l'on accepte l'idée que l'affaire Kerviel relève d'une sorte d'exception frauduleuse. Mais à côté et en contraste avec la Société Générale et surtout la BNP, des établissements issus de la sphère publique ou coopérative auraient disparu du seul fait de leurs prises de risques excessives si l'Etat ne les avait pas sauvés de la faillite : ainsi de Dexia et de Natixis, autrefois engendrées par la Caisse des dépôts et des banques publiques qu'elles ont absorbées. La dernière aurait entraîné dans sa chute le double réseau des Caisses d'épargne et des Banques populaires. On a eu chaud.

Surtout, la France est plongée dans le monde, donc sujette aux contagions. Elle n'échapperait pas à une nouvelle secousse financière d'ampleur planétaire. Je regrette donc que les politiques, de droite comme de gauche, de gouvernement comme d'opposition, aient largement abandonné le terrain de la régulation. La Commission et le Parlement européen, à grand-peine, essaient d'aider les régulateurs qui sont des techniciens, pas des politiques, à résister au poids croissant des lobbies bancaires et financiers. Aux Etats-Unis, Barack Obama a fait passer une loi qui interdit aux banques de spéculer pour leur propre compte. En Grande-Bretagne, le gouvernement conservateur de David Cameron vient de séparer la banque de dépôt et de crédit, la banque qui finance l'économie réelle de la banque d'investissement, de la banque casino.

Chez nous, rien de tel. Le débat public est étouffé, considéré comme inutile, malgré les efforts méritoires de quelques députés européens et notamment du Vert Pascal Canfin. Tout va très bien, madame la marquise : banquiers et gouvernement doivent certes discuter (on l'espère en tout cas), mais dans l'intimité. Quelle occasion perdue de contribuer de façon positive, par l'idée et par l'exemple, à la construction d'une Europe plus stable ! De la droite française, on ne pouvait sans doute mieux attendre. Mais où est la gauche ? D'elle on entend des imprécations, mais sans propositions sérieuses faute d'une vraie réflexion. Il est vrai que l'on ne peut réguler la finance sans se poser la question de la dette publique, de son montant et de son financement. D'où, peut-être, l'embarras des politiques, à la fois juges et coupables.

4

L'Allemagne qui travaille, l'Allemagne qui gagne

Trois ans après la faillite de Lehman Brothers, c'est maintenant à une crise des dettes publiques que les grands pays industrialisés sont confrontés. La Grèce, l'Irlande, le Portugal ont déjà sombré, d'autres pourraient suivre. Au contraire, un pays a renoué avec une croissance forte, dégage des excédents commerciaux considérables, réduit ses déficits budgétaires, voit son chômage baisser : l'Allemagne. Peut-on faire un retour sur les raisons du miracle allemand dont chacun se demande, aujourd'hui, s'il est exportable, notamment en France ?

Revenons à la France. Notre système de protection sociale est fondé sur la répartition, contrairement à d'autres où l'acte d'épargne, publique ou privée, est un préalable à la couverture des risques. Cela est parfaitement acceptable dans son principe. Mais un système de répartition, par définition, est une gigantesque mutuelle où les actifs paient, au fil de l'eau, les pensions des retraités et les bien-portants les dépenses médicales des malades. Or quand une mutuelle, en fin d'année, est en difficulté, avec des dépenses supérieures aux recettes, elle procède à un rappel de cotisations de manière à rester à tout moment au moins à l'équilibre. Il aurait fallu, au fur et à mesure de la montée des dépenses sociales, rappeler aux Français que c'étaient eux-mêmes qui les finançaient, personne d'autre, et donc procéder aux augmentations de cotisations nécessaires ou à des hausses d'impôts – nous aurons l'occasion d'y revenir lorsque nous étudierons les pistes de redressement de l'économie française. Avec un recours croissant à la dette, les gouvernements successifs ont donné au peuple l'illusion que la retraite, l'assurance santé, les assurances maladie, le versement d'indemnités de chômage à un niveau élevé aussi longtemps que possible constituaient un droit absolu, une sorte de droit de tirage permanent et gratuit que chacun de nous aurait sur la collectivité. Mais la collectivité, c'est encore nous. Je ne conteste pas l'affirmation de ces droits en eux-mêmes. Mais je conteste la façon dont on a mis, dans l'esprit de l'opinion publique, l'idée qu'ils étaient gratuits.

La théorie keynésienne – la vraie – explique qu'il est possible de financer par l'emprunt des dépenses qui ont un caractère transitoire, et qui trouvent leur remboursement naturel soit parce qu'elles correspondent à un investissement qui produira plus tard des recettes, soit parce qu'elles viennent effectivement ranimer un appareil économique qui est utilisé en dessous de sa capacité de production. Mais l'emprunt n'est pas fait pour financer des dépenses courantes – ce qui est le cas des dépenses de protection sociale. Résultat : nos gouvernements ont convaincu les Français de l'idée totalement perverse qu'on pouvait financer des dépenses définitives avec de l'emprunt ! La dette, ressource infinie ! Mais comment expliquer à nos enfants qu'ils devront régler dans quinze ans nos frais d'hospitalisation d'aujourd'hui, lorsqu'ils rembourseront nos emprunts ? Nous pourrions dire la même chose des salaires des professeurs et, de manière politiquement très incorrecte, de la remise à niveau des campus universitaires. Il s'agit là d'une dépense définitive qui ne trouvera pas en elle-même son remboursement puisque l'université est gratuite. Dans un système marchand, la dette est envisageable dans la mesure où elle trouve en face d'elle, un jour, les recettes qui permettent de la rembourser. Dans un système non marchand, gratuit, c'est l'impôt qui doit payer, à l'entrée ou à la sortie. Répétons-le : la dette de l'Etat a pour les dirigeants politiques, dans la sphère publique, le même attrait que la dette privée pour les actionnaires capitalistes dans la sphère privée. Elle exerce un effet levier. Pour les politiques, un effet levier sur leur popularité. Du moins tant que le système tient, que le vélo continue d'avancer en équilibre instable, c'est-à-dire tant que nos créanciers acceptent de nous prêter de l'argent. Mais les difficultés de la Grèce, de l'Irlande et du Portugal ont montré que leur bienveillance a des limites, qu'elle n'est ni éternelle, ni infinie.

L'Europe du Nord, l'Europe du Sud

Le modèle français est-il le seul à offrir un haut niveau de protection sociale à ses citoyens ? Point du tout. Conséquence nécessaire, nous ne sommes pas non plus les seuls à connaître une proportion élevée de dépenses publiques dans le PIB (expliquée pour partie par l'importance de la redistribution) ni, contrairement à une idée reçue, les seuls à pratiquer des taux de prélèvement obligatoires considérés par une partie des citoyens (en général les plus riches) comme confiscatoires. Mais il faut bien plaire, ici plus qu'ailleurs. La gauche augmente les dépenses, la droite diminue les impôts, et personne ne se préoccupe du solde. Ainsi sommes-nous bien, parmi tous les pays européens à haut niveau de protection sociale, celui dont les finances publiques sont les plus déséquilibrées.

La comparaison France-Allemagne est un exercice obligé. Nous allons donc y venir. Insistons cependant sur son caractère réducteur. Faire apparaître le modèle allemand comme une sorte d'exception, due à la discipline anormale, presque militaire, d'un peuple hors du commun a l'avantage de relativiser nos propres faiblesses. Malheureusement, la réalité, plus complexe, nous est moins favorable.

L'Allemagne n'est pas seule de son espèce. Toute l'Europe du Nord (Allemagne, Pays-Bas, Belgique, Autriche, Finlande) vit en contraste accusé avec l'Europe du Sud (France, Espagne, Italie, Portugal, Grèce, Irlande) [1]. Le nord de la zone euro a un excédent de balance commerciale en pourcentage du PIB aussi important que celui de la Chine et maintient depuis dix ans ses parts de marché à l'exportation. Le sud de la zone euro, de même d'ailleurs que les pays du « modèle impérial » (Etats-Unis et Royaume-Uni), recule en parts de marché et connaît des déficits extérieurs. Le Nord a un déficit public faible (2 % du PIB), celui du Sud est trois fois supérieur (6 % du PIB en 2011), sans parler des Etats-Unis et du Royaume-Uni (10 %). La dette publique est au Nord inférieure à 80 % du PIB quand elle est de l'ordre de 100 % au Sud. Les dépenses de recherche et développement dans le nord de la zone euro sont très supérieures à celles de la zone sud (2,65 % du PIB contre 1,65 % en 2009). De même enfin pour la rentabilité des entreprises : leurs profits nets après impôts et intérêts y sont plus élevés d'un bon 25 %, ce qui se traduit bien entendu par une meilleure solvabilité et de moindres défaillances.

Ainsi voit-on qu'existent deux manières fort différentes d'aborder les défis de la mondialisation. La mauvaise, qui est malheureusement la nôtre, sorte d'imitation dégradée du modèle impérial,

1. *Flash Economie Natixis*, Patrick Artus, n° 293, 19 avril 2011.

consiste à tout miser sur la consommation interne qui, faute de résultats, est sans cesse soutenue par un endettement croissant. L'appareil productif est en fait sacrifié à des impératifs de court terme. La sphère financière, alimentée sans cesse en matière première, je veux dire en nouvelles dettes, est la seule à prospérer, de manière presque indécente. La bonne méthode consiste à prendre conscience que la croissance des pays émergents est, pour une longue durée, environ le double de celle des pays industrialisés (disons 5 % en moyenne contre 2,5). Il faut dès lors miser sur la compétitivité externe des entreprises et la recherche de débouchés à l'exportation, de façon à accrocher le wagon national aux principales locomotives étrangères : Chine, Inde, Brésil et tant d'autres. Contrairement à une idée trop répandue, la mondialisation n'est pas destructrice mais créatrice de croissance et d'emplois, comme le montrent les taux de chômage beaucoup plus faibles de l'Europe du Nord : 6,5 % en Allemagne, 4 % aux Pays-Bas, 7 % en Belgique contre plus de 9 % en France. Encore faut-il préférer l'industrie aux services et l'économie réelle aux miroitements de la finance.

L'exemple allemand

Bien entendu, l'Allemagne est à cet égard emblématique. Elle prouve qu'il n'y a pas de fatalité au déclin. Ce pays a retrouvé une croissance forte, des exportations records, son chômage est plus bas qu'avant le début de la crise et il assainit à grande vitesse ses finances publiques. Rappelons qu'au début des années 2000 l'Allemagne était dans une situation pire que la nôtre, avec notamment une croissance faible et un déficit public supérieur à celui que nous connaissions, au point qu'il y avait eu une coalition franco-allemande à Bruxelles pour faire en sorte que la discipline du pacte de stabilité ne soit pas appliquée, ni à l'une ni à l'autre. Chacun a oublié qu'à partir de 2001 et jusqu'en 2005 inclus, le déficit public allemand, de l'ordre de 4 % du PIB, a été supérieur au nôtre. Et que pendant dix ans, de 1991 à 2000, sa balance extérieure courante a été déficitaire, de l'ordre de 1 % du PIB quand la nôtre était excédentaire d'autant.

Mais, à partir de 2003, l'Allemagne a remis de l'ordre chez elle sur beaucoup d'aspects différents, changements complémentaires les uns des autres. Le premier a été une grande modération salariale puisque, sur la durée, le salaire réel moyen allemand n'a pas augmenté, il a même plutôt légèrement diminué. Entre 2000 et 2009, il a reculé au total de 4,5 % quand il a progressé de près de 9 % en France, pour un nombre d'heures de travail fortement réduit à cause du passage aux 35 heures. Il n'y a pas eu de déflation salariale, comme on a dit ici ou là, mais une indéniable rigueur. La conséquence a été que les marges des entreprises allemandes ont beaucoup augmenté. Elles étaient déjà, au début des années 2000, supérieures aux nôtres, avec un excédent brut d'exploitation de l'ordre de 35 % de la valeur ajoutée, contre 30 %

en France. Aujourd'hui, la France est toujours à 30 %, mais l'Allemagne est à 40 %, soit un tiers de plus. Entre 2000 et 2009, en effet, la part des salaires dans la valeur ajoutée des entreprises est restée stable en France, autour de 67 %. Elle a décru de près de 5 points en Allemagne, de 65 % à 60 %. Le retour à la compétitivité de l'appareil productif allemand, avec un déplacement du partage salaires/marges des entreprises, a offert à celles-ci une meilleure aptitude à la fois pour exporter et investir. L'amélioration de leurs structures financières leur permet d'avoir aujourd'hui un taux d'autofinancement de l'ordre de 100 %, ce qui veut dire, pour parler simplement, qu'elles n'ont besoin ni des banquiers ni des marchés financiers pour investir et qu'elles sont donc beaucoup plus indifférentes que les nôtres à l'instabilité de la sphère financière.

Le deuxième point est venu de la remise en ordre du budget. Alors qu'en France les dépenses publiques continuaient à augmenter en pourcentage du PIB, l'Allemagne a fait l'inverse : elle les a réduites.

Entre 2000 et 2008, l'Allemagne a en effet ralenti l'évolution de ses dépenses publiques pour les ramener sous la moyenne de l'Union européenne. Cela n'a pas été le cas en France[1]. En 2009, la dépense publique a atteint 47,5 % du PIB

1. Rapport de la Cour des comptes, « Les prélèvements fiscaux et sociaux en France et en Allemagne », mars 2011. La Documentation française.

en Allemagne, mais 56 % en France pour une moyenne à 50,7 % dans l'Union européenne : l'écart entre les deux pays est passé de 6,5 points à 8,5 en moins de dix ans. Bien entendu, ce phénomène trouve sa traduction dans les chiffres annuels de déficit et de dette publics. Alors que la France n'a plus connu d'excédent budgétaire depuis 1974 et que, comme on l'a dit précédemment, son déficit annuel a été depuis 1993 – presque vingt ans – systématiquement supérieur au déficit moyen de l'Union européenne, l'Allemagne a enregistré depuis 2000 trois exercices excédentaires et a significativement amélioré sa situation financière par rapport à la moyenne européenne depuis 2006. Les résultats de ces politiques opposées sont là : l'Allemagne sera voisine de l'équilibre en 2011 quand notre déficit public sera de l'ordre de 6 % du PIB. Alors qu'en 2000 la dette publique française (57,3 % du PIB) était inférieure à celle de l'Allemagne (59,7 %), nous serons vraisemblablement aux alentours de 90 % en 2012 contre 75 % : plus de 15 points de dérapage différentiel ! Croit-on que l'on pourra continuer à ce rythme ?

Enfin est intervenue la réforme du système de protection sociale : allongement de l'âge du départ à la retraite, jusqu'à soixante-sept ans, et durcissement notable des conditions d'indemnisation du chômage. Sans oublier, on l'a déjà vu, des investissements dans la recherche et le développement de l'appareil productif privé bien supérieurs aux nôtres. En résumé, l'Allemagne s'est engagée dans un effort de longue durée douloureux, pénible, mais très efficace. Elle a accroché son modèle de développement au marché mondial, au commerce international. Est-ce qu'on doit lui en vouloir pour cela ? Certainement pas. Nos voisins ont eu la lucidité de s'arrimer au dynamisme des pays émergents et compris que la seule manière de le faire était d'y exporter. Résultat, l'Allemagne a un taux d'exportation qui est aujourd'hui le double du nôtre et qui est encore plus élevé, en proportion, dans les pays en développement.

Le taux d'exportation de l'économie allemande a presque doublé depuis le milieu des années 90, passant de 24 % du PIB en 1995 à plus de 45 % en 2008, alors que le taux français fluctue toujours autour de 25 %. A titre d'illustration, sur la période 2001-2008, la croissance moyenne française est décomposable en 1,5 point de PIB pour la consommation, 0,7 pour l'investissement et une contribution négative de 0,5 point par an pour le commerce extérieur. En Allemagne, les chiffres correspondants sont 0,5 point de consommation, 0,5 point pour l'investissement et 0,8 point pour les exportations. On voit ainsi combien les deux modèles s'opposent. D'un côté le choix de la consommation et de la dette publique, qui entraînent un surgissement des importations. De l'autre celui de l'investissement et des exportations dans un monde de compétition. La conquête ou le confort immédiat : qui, croyez-vous, va gagner ?

L'Allemagne a bien sûr souffert pendant toute la période d'ajustement, où elle a, d'une certaine façon, comprimé sa consommation pour redevenir compétitive. Elle a réussi, et il paraît mal fondé de critiquer sa stratégie. Tout semble indiquer que nous sommes partis pour une longue période de dynamisme allemand supérieur au nôtre. L'histoire va donner raison à qui s'est mieux adapté. On connaît la définition humoristique que le footballeur anglais Garry Lineker donnait il y a quelques années de son sport : « Le football est un sport simple : 22 hommes poursuivent un ballon pendant 90 minutes et, à la fin, ce sont les Allemands qui gagnent. » Eh bien, on pourrait presque la reprendre en disant : L'économie est une activité simple : des dizaines de pays cherchent la croissance pendant des années et, à la fin, ce sont les Allemands qui gagnent. » Mais qui gagnent aussi parce qu'ils méritent de gagner, parce qu'ils se sont entraînés plus durement que les autres.

Un faux procès

Hélas, le conformisme français est solidement installé, qui vise à faire oublier nos propres insuffisances. Christine Lagarde, ministre des Finances de Nicolas Sarkozy d'un côté [1], toute la gauche française de l'autre, accusent l'Allemagne d'exercer une « forte pression sur ses coûts de main-d'œuvre » et, par là même, d'écraser sa consommation, au détriment de ses voisins. Comme le fait remarquer plaisamment Marc de Scitivaux, « l'Allemand ne consomme pas assez. Pour Mme Lagarde, si les

1. *Financial Times*, 15 mars 2010.

Grecs sont dans une mauvaise situation, c'est parce que les Allemands ne leur achètent pas suffisamment d'olives[1] ». Ne serions-nous pas en train de soutenir, à coups de telles certitudes, une vraie « querelle d'Allemands »?

La droite va sans doute abandonner bientôt le pouvoir, en tout cas je l'espère tant son échec est patent. Mieux vaut donc, pour anticiper les erreurs éventuelles du nouveau pouvoir issu des élections présidentielles de 2012, se concentrer sur la pensée de gauche. Mon ami Olivier Ferrand, président de Terra Nova (*think tank* assez vivace que nous avons déjà évoqué et auquel j'appartiens également) s'entête et s'enferre. En dépit de plusieurs discussions sur le sujet où j'ai essayé de lui faire adopter un point de vue plus nuancé, il a signé le 22 mars 2011 une note[2] qui reprend sans en oublier une, concernant la politique économique allemande, les idées fausses les mieux établies.

Premier reproche : « Le mercantilisme ne fait pas une politique économique. L'objectif de toute politique économique, c'est la croissance. Or, sur ce point, les résultats allemands sont tout simplement mauvais, avec une croissance en berne sur la période : elle est de 0,8 % en moyenne sur les années 2000-2009 contre 1,5 % pour la France [...]. L'explication est simple : l'amélioration des exportations a été gagée sur la dégradation de la

1. *Le Journal du dimanche*, 21 mars 2010.
2. Terra Nova, « Face à la désertification industrielle : investir dans l'avenir », art. cité.

demande interne, du fait de la rigueur salariale et de la suppression de prestations sociales, avec un effet nul sur la croissance globale – la baisse de la croissance interne a annulé la hausse de la croissance externe. »

Ce premier reproche est infondé. Pour une raison très simple, qui est d'ordre démographique. En dix ans (2000 – 2010), la population française a augmenté de 4 millions de personnes (de 60 à 64 millions d'habitants) alors que l'allemande diminuait de 700 000. Or la comparaison des taux de croissance doit tenir compte de ce facteur. Le PIB total a certes augmenté un peu plus vite en France. Mais le PIB par habitant, sur la période considérée, évolue de manière pratiquement identique et même, ô surprise, légèrement plus favorable de l'autre côté du Rhin : +0,6, taux égal à celui de la moyenne de la zone euro, contre 0,5 pour nous. En outre, après une longue période de rigueur après sa réunification (1989), l'Allemagne, ayant remis de l'ordre dans ses affaires, progresse plus rapidement que nous. La performance comparée se déforme à son profit : depuis 2005, le PIB moyen par habitant augmente plus vite outre-Rhin que chez nous. Ainsi l'écart de revenu par tête qui avait tendance à se réduire entre 2000 et 2005 s'est-il à nouveau creusé dans la seconde partie de la décennie, résultat qui va fortement s'accentuer maintenant que l'Allemagne a retrouvé des taux de croissance (2010, 2011 et vraisemblablement 2012) structurellement supérieurs aux nôtres, aussi bien globalement que par tête. Elle est à 3 % de croissance annuelle quand nous sommes à 2 %. Dès lors, la phrase d'Olivier Ferrand qui croit pouvoir écrire : « de fait, le pouvoir d'achat des Allemands a baissé sur la période » est tout bonnement fausse.

Deuxième reproche : si les Allemands consommaient davantage, ils nous achèteraient plus. Cette affirmation est affligeante. Si la croissance allemande est similaire, voire supérieure à la nôtre, en quoi pourrait-elle exercer un effet dépressif sur notre conjoncture ? Quelle importance pour notre propre activité qu'elle soit faite de plus ou moins de consommation, de plus ou moins d'investissement, si elle est globalement satisfaisante ? Comme le fait à nouveau finement remarquer Marc de Scitivaux, si les Allemands consommaient plus, leurs excédents seraient moins élevés. Mais peut-être en profiteraient-ils pour acheter plus de vêtements chinois, plus de voitures japonaises et plus de vacances en Thaïlande, ce qui pose à nouveau le problème de la compétitivité européenne. Pourquoi une augmentation non de la consommation mais de l'investissement allemand serait-elle moins favorable à l'économie française ? Une fois de plus, ce qui compte est le niveau global de demande adressée à l'appareil productif allemand, quelle qu'en soit la source, et bien malin qui peut déduire de sa structure en composantes fines ses incidences sur la conjoncture française. Sans doute projetons-nous chez nos voisins notre vieux syndrome national : seule la consommation est économiquement vertueuse, ce qui est un pur non-sens.

Reste un dernier reproche, un peu plus pertinent, celui qu'une partie de la croissance de l'Allemagne en termes d'exportations s'est faite à notre détriment, que Berlin a construit son succès sur une stratégie « non coopérative », contre ses concurrents européens. Première observation : s'il y a un match, ce n'est pas celui de l'Allemagne contre le reste de l'Europe mais celui de l'Europe du Nord contre l'Europe du Sud. L'Allemagne, on l'a dit, n'est pas la seule à dégager des excédents commerciaux. Les Pays-Bas, l'Autriche, la Suède, le Danemark, la Finlande et la Suisse aussi. Si effectivement nous étions dans un système d'économie fermée où l'excédent du commerce extérieur allemand aurait pour seule contrepartie le déficit du commerce extérieur, pour le même montant, des autres pays européens, il serait possible d'accuser l'Allemagne d'un péché de surcompétitivité par rapport au reste de l'Europe. Et nos voisins d'être d'une certaine manière les Chinois de l'Europe, qui projettent sur les autres pays européens les conséquences, en termes d'emploi, de leurs propres excédents.

Mais nous sommes en économie ouverte, en échange avec la planète tout entière. La balance commerciale de la zone euro par rapport au reste du monde est à l'équilibre. Ce qui veut dire que l'énorme excédent allemand (plus de 5 % du PIB) et celui des autres pays d'Europe du Nord ne font que compenser le déficit des pays de l'Europe du Sud, dont la France (3 % du PIB). Et les déséquilibres des pays européens vis-à-vis de l'Allemagne ne sont que le reflet interne à la zone euro des déséquilibres de compétitivité de chacun de ces pays hors zone euro. Il n'y a pas de distorsions internes en elles-mêmes, mais le simple effet miroir, à l'intérieur, des forces et des faiblesses de chacun à l'égard du reste du monde.

Comment le prouver? En prenant une fois de plus le contrepied de la phrase erronée d'Olivier Ferrand : « L'amélioration de la compétitivité allemande ne s'est pas faite par rapport aux pays émergents mais a été gagée sur les pays à structures de coûts similaires, singulièrement la France. » Cette affirmation est fausse. La part de marché de l'Allemagne dans le total des exportations européennes est plus forte vers l'extérieur de l'Union européenne (27 %) qu'à l'intérieur (23 % pour les échanges intrazone). La France est dans la situation inverse : sa part de marché est de 12 % pour les échanges intra-UE, et de 10 % seulement pour ceux vers le grand large. Les exportations de l'Allemagne vers les pays émergents représentent 10 % de son PIB, le double de la France. En outre, depuis l'an 2000, la part de marché allemande a progressé plus vite à l'extérieur de l'Union européenne (+ 3 points) qu'à l'intérieur (+ 2 points). Et la France a perdu intra-UE plus de part de marché (– 3 points) que l'Allemagne n'en a gagné.

Nous sommes mauvais, un point c'est tout. Mieux vaudrait le reconnaître.

Une Europe équilibrée serait telle que ses différentes composantes soient compétitives dans des proportions similaires par rapport au reste du monde. Les échanges intérieurs seraient alors, vraisemblablement, voisins de l'équilibre. Détériorer la compétitivité de l'Allemagne sans rien faire d'autre par ailleurs, en y augmentant massivement les salaires, pour suivre les conseils de Mme Lagarde et de quelques économistes renommés, cela reviendrait à dégrader la compétitivité externe de toute la zone euro. Personne, au total, n'y gagnerait rien. Ce qu'il faut, c'est que les pays européens déficitaires, dont la France, regagnent en compétitivité vis-à-vis du reste du monde. Ils s'amélioreront du même coup vis-à-vis de l'Allemagne. Qu'ils commencent d'abord à mettre de l'ordre dans leurs affaires avant de jouer les accusateurs et de demander à Berlin de faire un ajustement de politique macroéconomique qui va vraisemblablement se produire en tout état de cause maintenant que l'Allemagne est redevenue le grand pays à la plus forte croissance de toute la zone euro. Il y a quelque chose d'un peu grotesque à voir les cancres donner des leçons au meilleur élève de la classe. A tout le moins les efforts, si efforts il y a, devraient être équitablement répartis. Aide-toi, l'Allemagne t'aidera.

Une des spécificités de l'Allemagne, c'est d'avoir conservé une base industrielle forte. Il y a encore une dizaine d'années, une telle situation était perçue comme une faiblesse, comme un signe d'archaïsme. L'économie allemande ne savait fabriquer que des machines-outils, elle était incapable d'offrir des services, elle n'était pas moderne. Il est bon de rappeler de temps en temps quelques vérités. Ce qui s'échange entre pays, ce sont d'abord des biens matériels. Les échanges internationaux de services, en dehors du tourisme et du transport, représentent très peu de chose par rapport à l'échange des biens. Pour tirer parti de la mondialisation, de l'essor du commerce international, il faut nécessairement avoir un appareil industriel puissant. De tous les pays européens, la France est sans doute celui qui, hélas, se rapproche le plus en termes de structures du modèle anglo-saxon à très faible part industrielle. L'industrie française représente dans le PIB moins de la moitié de ce qu'elle est en Allemagne. Et elle continue à décliner. Même si nous n'avons jamais émis une monnaie de réserve, nous nous sommes gargarisés de l'idée que nous devenions une économie de services, ce qui a constitué un terreau très favorable au développement de la dimension financière de notre économie, donc de la dette. En fait, derrière nos coups de menton colbertistes, nous sommes allés vers un modèle d'économie sans industrie et d'entreprises sans usines comme l'avait hélas théorisé Serge Tchuruk, l'ancien patron d'Alcatel. Il ne restera bientôt plus à la France que sa cuisine, ses musées, ses châteaux et les beaux paysages de ses campagnes pour attirer des touristes chinois ou allemands et espérer faire entrer des devises. Mais même le tourisme, nous ne l'organisons pas de manière industrielle, de façon vraiment professionnelle.

On peut ajouter, pour terminer ce chapitre, deux remarques sur l'Allemagne. La première, c'est qu'elle ne manipule pas sa monnaie, contrairement à la Chine. La seconde est qu'elle a connu, il y a vingt ans, un choc économique gigantesque avec la réunification qu'elle a mis plus de dix ans à absorber. Ce n'est pas l'endettement qui l'a financée, c'est l'impôt. Le contribuable d'Allemagne de l'Ouest a payé pour élever le niveau de vie de l'Allemand de l'Est : 50 milliards d'euros par an pendant quinze ans. Ce coût gigantesque a obligé l'Etat allemand, pour compenser la sous-productivité des régions de l'Est, pour absorber la forte progression salariale apparue du fait des conditions monétaires de l'unification imposées par Helmut Kohl au début des années 1990 (1 DM de l'Est égale 1 DM de l'Ouest), pour équilibrer ses comptes aussi bien budgétaires que de commerce extérieur, à faire des économies et à améliorer sans relâche la compétitivité compromise du pays. En gros, la population s'est accrue d'un coup de 25 %, mais par inclusion de nouveaux salariés qui, payés autant, avaient une productivité moitié moindre : la productivité globale allemande a soudain reculé de plus de 10 %. Leurs 35 heures à eux, ce fut la réunification. Le jeu en valait le prix, ce qui ne fut pas notre cas.

Ce grand projet national a forcé les gouvernements à entreprendre des réformes structurelles, a conduit le peuple à accepter de travailler plus. Etre rigoureux sur les salaires, veiller à maintenir une industrie forte pour dégager des richesses par l'exportation et pour maintenir l'emploi, telles furent les recettes du succès. Tout cela a développé une culture d'efforts communs et de sacrifices pendant que d'autres pays, dont la France, se laissaient vivre. Tandis que les Allemands faisaient tourner leurs usines et les modernisaient, nous nous sommes transformés en un gigantesque parc de loisirs. Avec entrée gratuite, cela va de soi. La question est aujourd'hui de savoir quel grand projet pourrait en France avoir les mêmes effets et serait en mesure de mobiliser les mêmes énergies.

5

Au secours l'industrie

On a bien compris que votre préférence, en matière de développement économique, se porte vers les pays de conquête, les pays industriels, par opposition aux nations tournées vers les services. Cela semble pourtant aller contre le sens de l'histoire et l'air du temps, qui veulent à la fois que l'industrie soit une survivance du XIX*e siècle et que les pays riches ne puissent pas durablement résister à la concurrence des pays émergents, où les coûts du travail sont bien inférieurs. Ce déclin industriel n'est pas selon vous inéluctable, comme les performances à l'exportation de l'Allemagne le démontrent. A condition qu'un effort national, mobilisant toutes les énergies du pays, pour veiller à la compétitivité et promouvoir l'innovation à travers la recherche et le développement, soit engagé. La France, dont le déficit du commerce extérieur ne cesse de se creuser et qui ne cesse de perdre des parts de marché à l'exportation par rapport à ses* *principaux concurrents, paraît très éloignée d'un tel sursaut. La faute, dites-vous, d'une politique économique qui a en permanence privilégié le soutien à la consommation et aux ménages plutôt que celui à la compétitivité et aux entreprises. La faute de notre histoire, aussi, de notre culture antientrepreneuriale et d'un système éducatif archaïque, centralisé et monodisciplinaire, qui prépare mal à la déclinaison industrielle des innovations technologiques. Vous en voulez pour preuve le développement durable, où, malgré les belles paroles, la France se retrouve industriellement très en retard.*

Nous ne sommes pas encore dans la situation – qui arrivera peut-être un jour – où l'économie mondiale ne serait plus qu'une économie de services. Une situation dans laquelle la saturation des besoins en biens matériels ou la nécessité écologique et la volonté de préserver les ressources de la planète feraient qu'on arrêterait de produire de nouveaux biens matériels. Peut-être est-ce un modèle inéluctable à très long terme. Mais ce n'est pas le modèle actuel même si cet imaginaire-là est très présent en France, dès aujourd'hui, ce qui est ambigu : le rêve de la croissance frugale, voire de la décroissance, l'accent mis sur la proximité et l'autosuffisance, ne sont-ils pas des habillages commodes, intellectuellement confortables, de notre refus de l'effort et de la tentation protectionniste qui l'accompagne ? Il est vrai que les services sont fondamentalement de proximité, ce qui les rend séduisants. Il n'y a pas besoin de déplacements physiques lointains pour assurer du service de voisinage, du service délivré par Internet. J'aimerais bien, à cet égard, que les Verts mettent un peu d'ordre dans la myriade de pensées confuses et contradictoires qui traversent leur mouvement.

Vive l'industrie

Mais nous n'en sommes pas là du tout. Nous vivons une phase intermédiaire, à coup sûr de très longue durée encore, où l'échange international continue à être la partie la plus dynamique de l'économie mondiale. C'est l'échange international qui se développe le plus vite, et depuis des décennies c'est l'échange international qui tire la croissance globale. En gros, à un rythme double (on voit donc bien ce que l'on perdrait à se refermer sur nous-mêmes). Or il est fait essentiellement d'échanges de biens, pas d'échanges de services. D'échanges de biens, à 80 %. L'économie mondiale reste une économie matérielle, pas immatérielle.

Oh, je sais ! On va me dire : que faites-vous du tourisme, des transports et de l'extraordinaire expansion des entreprises du Net, qui sont pour la plupart des entreprises de services ? Peut-être faut-il rappeler cette vérité dérangeante : les services occupent certes une place centrale dans nos économies puisque les entreprises correspondantes réalisent les deux tiers du PIB des pays de l'OCDE. Cependant, le commerce international est une affaire de marchandises : les échanges transfrontaliers de services ne représentent que 20 % du commerce mondial[1]. Transport, tourisme, assurance, audiovisuel, communication, finance, informatique, architecture, brevets et licences, comptabilité, conseil, tout cela est culturellement très important et sans doute décisif pour juger du degré de développement d'une société. Mais ne pèse pas très lourd dans l'échange international où la part des services reste assez stable. En France, moins de 2 % des entreprises de services exportent. C'est dix fois moins que dans les industries manufacturières.

La compétition entre pays qui se déroule sur le terrain du commerce international est une compétition sur les produits, sur les marchandises, sur les techniques de production. Les pays qui s'en retirent soit par refus de la lutte, soit par paresse, soit parce qu'ils usent d'un privilège impérial – ce qui est le cas des Etats-Unis – sont des pays qui détruisent plus vite que les autres leur base de production. Ils sont dès lors condamnés à s'affaiblir tout au long de cette période transitoire qui durera encore de nombreuses décennies, où la relation économique entre les Etats sera une relation de compétition, de concurrence, fondée sur la production de biens physiques (même s'ils incorporent de plus en plus de services qui accèdent ainsi à

1. Matthieu Crozet, Daniel Mirza et Emmanuel Millet, *Lettre du CEPII*, n° 302, novembre 2010.

l'échange : le jouet reste un jouet, mais avec une part croissante d'informatique).

Si l'on classe les pays par rapport au dynamisme de leur industrie, on trouve ainsi tout en haut la Chine, qui est devenue la première puissance industrielle mondiale (50 % de son PIB), puis ceux de l'Europe du Nord continentale. Au milieu des pays comme l'Italie et l'Espagne – plus industrialisés que nous, quoi qu'on dise –, et tout en bas les tenants du modèle atlantique, avec le Royaume-Uni, la France et les Etats-Unis. L'esprit de conquête d'un côté, l'intelligence paresseuse de l'immatériel de l'autre. Or on vit mieux dans la matérialité que dans la transcendance.

La France ignore le principe de réalité. Dans une économie mondialisée, nous devrions porter une attention particulière à la compétitivité de nos champions internationaux, ceux qui appartiennent aux secteurs dits exposés. L'industrie y est au premier rang. Elle concentre près de 90 % des dépenses de recherche et de développement des entreprises et 80 % de nos exportations. Ainsi c'est elle qui nous permet de financer nos importations. L'industrie fait toujours la richesse des nations en leur fournissant l'essentiel de leur pouvoir d'achat extérieur.

Malheureusement, elle est politiquement peu influente. Elle ne représente plus que 15 % de l'emploi total dans notre pays, ce qui veut dire *a contrario* que l'emploi est à plus de 80 % concentré dans la fonction publique et les activités de proximité (les secteurs dits protégés). La grande masse de la population vit en fait des efforts d'une minorité largement ignorée. Il est certes légitime de souhaiter l'apparition d'une société où le non-marchand aurait plus de place. La défense des services publics est nécessaire. Mais n'oublions pas que le revenu monétaire des citoyens est la contrepartie de la seule production marchande et que la croissance de cette dernière passe par l'investissement des entreprises. Une société plus douce, plus conviviale exige pour sa construction une base productive solide, prospère et dynamique. Ne lâchons pas la proie pour l'ombre : je doute que les Français soient prêts à accepter sur une longue durée une stagnation de leurs revenus directs.

De même, la faveur accordée par la classe politique aux PME et aux TPE, explicable si l'on ne tient compte que des chiffres bruts d'emplois (existants ou créés), ignore que l'aventure industrielle, ce qu'elle implique d'investissements, de recherche et d'innovation en nouveaux produits est la plupart du temps le fait d'entreprises d'une taille déjà significative. Or nous n'avons en France que 2 000 entreprises de plus de 500 personnes et 20 000 de plus de 50 : cela fait relativement peu de poids électoral par rapport à la multitude (2 500 000 entreprises au total dans notre pays, dont 95 % ont moins de 20 salariés et 600 000 aucun) des troupes de la CGPME.

Certes, il est relativement plus facile de créer des emplois de proximité dans des secteurs d'activité protégés de la concurrence internationale. L'angoisse des pouvoirs publics devant la montée du chômage explique sans doute les faveurs fiscales largement consenties aux métiers correspondants : TVA réduite dans la restauration et l'hôtellerie, ou encore pour les travaux d'entretien du bâtiment, réduction d'impôt sur le revenu pour les ménages utilisant des emplois de service à domicile. On peut cependant se demander si, en l'occurrence, on ne fait pas un mauvais calcul. Les emplois de ce type sont la plupart du temps peu qualifiés et donc de faible productivité, sont orientés vers la consommation plus que vers l'investissement et n'apportent aucune contribution positive à notre balance commerciale. C'est dire que leur influence sur notre taux de croissance potentielle est vraisemblablement très réduite.

Autre chose serait de développer notre appareil industriel. Or nous sommes en train de le détruire.

De tous les pays développés, la France est l'un de ceux où le mouvement de désindustrialisation est le plus marqué. En dix ans, de 1999 à 2008, la part du secteur manufacturier dans la valeur ajoutée a baissé de 22 à 16 %, soit une chute de 6 points contre seulement 3 points (25,5 à 22,4 %) pour l'ensemble de la zone euro, alors que la même part augmentait de 1 point en Allemagne, de 29 à 30 %. Nous sommes aujourd'hui à peu près à égalité avec le Royaume-Uni, devant les Etats-Unis (14 %) mais derrière l'Allemagne, la Finlande (28,4 %), la Suède (26 %) mais aussi l'Italie (23,1 %) et enfin l'Espagne (19 %). Bien sûr, il y a dans ces évolutions un effet-prix : comme le progrès technique s'applique pleinement à la production de biens matériels, les prix industriels baissent plus vite que l'ensemble. Il reste que la comparaison avec nos concurrents nous est défavorable.

Comme le notent dans leur rapport les Etats généraux de l'industrie[1], ces évolutions traduisent une très faible croissance de la valeur ajoutée de l'industrie française qui n'augmente en volume que de 4,3 % au total entre 2000 et 2008 alors qu'elle progresse fortement en Finlande (47,4 %), en Suède (32,5 %), en Autriche (32,4 %), en Allemagne (16,5 %) et aux Pays-Bas (10,5 %). Ainsi trois modèles différents s'affirment-ils : un modèle germano-scandinave (Europe du Nord) à forte base industrielle; un modèle méditerranéen intermédiaire aujourd'hui en crise et un modèle atlantique (France et Grande-Bretagne) qui a fait le pari d'un développement par les services sans avoir, dans le cas français, les bénéfices d'une place financière forte : nous ne méritons presque plus notre qualificatif de « pays industrialisé ».

Or il existe une forte corrélation entre la part de l'industrie dans le PIB et le solde de la balance commerciale : pour exporter, il faut produire. Ainsi s'explique-t-on aisément que le commerce extérieur

1. *Etats généraux de l'industrie. Rapport final*, Jean-François Dehecq, ministère de l'Industrie, 1er février 2010.

des pays d'Europe du Nord soit excédentaire (Allemagne, Suisse, Finlande, Pays-Bas, Suède) quand celui des pays les moins industrialisés (Royaume-Uni, France, Espagne, pour ne pas parler des Etats-Unis) est fortement déficitaire. L'état de notre balance commerciale illustre, hélas, fort bien l'ampleur de notre perte de compétitivité. La comparaison n'est pas ici avec la Chine, l'Inde ou le Brésil dont il est naturel que la place dans le commerce mondial s'élargisse, aux dépens des pays développés. Non, elle est par rapport à nos seuls concurrents européens qui sont logés à la même enseigne que nous.

En dix ans, de 1998 à 2008, la part des exportations françaises de marchandises dans le total de celles de la zone euro est passée de 16,8 à 13,2. Un tel recul de part de marché (3,6 points, soit un bon 20 %) représente une perte de plus de 100 milliards d'euros d'exportations, soit plus de 5 % du PIB. Les exportations françaises, qui représentaient 55 % des allemandes en 1999, ne sont aujourd'hui qu'à moins de 40 %. Ce premier indice s'accompagne d'un second, de même signification : la part de la valeur ajoutée industrielle produite en France est tombée sur la même période de 17,1 à 14,6 % du total de la zone euro, chiffres voisins des parts de marché à l'exportation. Nous sommes affectés d'une faiblesse structurelle. Comme telle, ce n'est pas par des remèdes de bonne femme, des recettes homéopathiques ou des tours de main relevant de la magie la plus vulgaire qu'on va la corriger. Autrement dit, notre déficit du commerce extérieur sera durable tant qu'une thérapie de choc n'aura pas été mise place. Cela devient urgent.

Mesurons bien le coût de cet affaissement. Depuis une dizaine d'années, notre déficit commercial ne cesse de se creuser et nous perdons des parts de marché. On peut faire un instant un peu d'économie-fiction pour donner des ordres de grandeur et démontrer que le mal est profond, que ce discours ne relève pas de la fantaisie. Si nous avions gardé nos parts de marché d'il y a dix ans par rapport aux autres pays européens, si nous avions gardé la même position relative qu'à la fin des années 1990, la même compétitivité, nous aurions aujourd'hui 5 % de PIB de plus, donc 5 % de pouvoir d'achat de plus. Nous avons perdu 0,5 % de pouvoir d'achat par an du fait du recul de notre compétitivité, la moitié du point que Nicolas Sarkozy voulait gagner avec ses dents. Nous aurions, au bas mot, un million de chômeurs de moins, ce qui nous ramènerait au niveau allemand – l'un des plus bas d'Europe –, notre déficit budgétaire serait moindre de 2,5 points – à moins de 4 % au lieu de 6 % –, et au lieu d'avoir plus de 80 % de dette publique, nous serions à 60 %. Nous connaîtrions ainsi une situation parfaitement gérable alors que l'état de nos finances publiques n'est aujourd'hui pas soutenable. Nos difficultés spécifiques ne proviennent pas de la crise – celle-ci est mondiale, tout le monde y a été exposé –, mais du fait que depuis dix ans nous n'arrêtons pas de perdre en compétitivité. Bien entendu, cette perte s'est traduite aussi sur notre pouvoir d'achat : en 1995, le revenu moyen par habitant était en France supérieur de 12,3 % à celui de la zone euro, l'écart n'est plus que de 7,6 % en 2008. Et jusqu'à présent en tout cas, aucun pouvoir politique, aucun des gouvernements successifs ne s'est attaqué de front à ce problème fondamental.

Il faut se défaire de l'idée reçue, très commode aussi, selon laquelle nous n'avons plus la capacité d'entretenir des usines sur notre territoire parce que nous serions trop chers par rapport aux salaires chinois ou indiens. Selon cette thèse, il serait inutile de se battre contre des moulins à vent et il vaudrait mieux basculer dans une activité de services et faire fabriquer les biens dont nous avons besoin dans ces pays, à moindre coût. La question est simple : avec quel argent allons-nous les acheter, ces produits, si nous sommes incapables de vendre quoi que ce soit? Notre balance des échanges de services proprement dits, certes encore bénéficiaire, a vu son excédent se réduire de moitié depuis l'an 2000, notamment en raison de l'affaiblissement du poste « tourisme ».

Il faut également chasser une autre idée reçue, celle qui voudrait que les emplois industriels perdus en France – 500 000 directement, un million globalement avec les emplois induits – ont été déplacés et recréés ailleurs, délocalisés. C'est faux.

On nous rebat les oreilles avec les délocalisations, mais toutes les études le montrent, leur responsabilité dans la baisse des emplois industriels sur le territoire français est infime. La vérité est que des emplois ont purement et simplement disparu dans des branches ou des secteurs atteints par la concurrence internationale et que nous avons été incapables de les recréer ailleurs avec de nouvelles filières et de nouveaux produits qui auraient compensé leur disparition.

Malgré la concurrence des pays émergents, une industrie forte est créatrice d'emplois sur le territoire national et en outre d'emplois qualifiés. Les pays industriellement dynamiques sont aussi ceux où le taux de chômage est le plus bas. En Allemagne il est revenu, avons-nous vu, à un niveau inférieur à celui qui était le sien avant le début de la crise. Grâce à quoi ? Aux exportations. En économie, il y a rarement de miracles. Pour régler le problème du chômage, il faut créer de l'activité, produire des richesses, vendre des produits, innover, ce qui veut dire créer des emplois qualifiés. Lesquels à leur tour induiront de nouvelles richesses, de nouveaux emplois. Il existe des cercles économiques vertueux, même si la France a depuis longtemps oublié à quoi ils pouvaient ressembler !

Pourquoi une telle perte de compétitivité en France ? Pour essayer d'en comprendre les raisons, il faut revenir au schéma schumpétérien classique de « destruction créatrice » liée aux innovations.

Nous sommes dans une économie mondiale qui continue à fabriquer des produits nouveaux et à avoir besoin d'innovation, de brevets, de prototypes. La France, on l'a dit, a en pourcentage du PIB des dépenses de recherche et de développement globales qui sont plutôt basses en Europe : 2 % du PIB contre 2,8 % en Allemagne par exemple, avec un pourcentage de la recherche publique identique. Cela veut dire que la recherche privée française fait 0,8 point de moins, en pourcentage du PIB, que la recherche privée allemande : 1,2 contre 2 %. Ce n'est pas rien. Dans l'industrie française, la recherche-développement, donc l'innovation, représente aujourd'hui 6 % de la valeur ajoutée contre 10 % en Allemagne. Environ la moitié. Enfin, la France dépose auprès de l'Office européen des brevets environ le tiers du nombre de brevets allemands.

Quand on regarde, sectoriellement cette fois-ci, l'un de nos points faibles est que nous avons au fond peu de secteurs qui soient à la fois technologiquement avancés et sur lesquels nous ayons une position solide. L'aéronautique, le luxe et l'agroalimentaire, oui, mais le nucléaire a été mal géré, et l'automobile, qui a constitué longtemps un secteur phare, est devenue déficitaire. A part le luxe, l'Allemagne a les mêmes points forts que nous, mais avec la machine-outil, les biens d'équipement, la chimie en plus, elle dispose d'une gamme qui est beaucoup plus profonde que la nôtre. Coïncidence pas si étonnante que cela, il existe une corrélation presque parfaite entre le niveau de dépenses de recherche et développement rapporté au PIB, l'état de la balance commerciale et la base industrielle. Tout s'emboîte mais, dans le cas de la France, s'emboîte mal.

Des marges trop faibles

Si recherche et développement sont la clé de l'innovation, encore faut-il avoir les moyens de les intensifier. Pour investir, il faut de l'argent. De même, pour innover et lancer de nouveaux produits. L'insuffisance des chiffres français en matière de recherche, a-t-on dit, ne tient pas au secteur public mais aux entreprises privées, au secteur marchand. Or une entreprise doit dégager des marges assez fortes, avoir un excédent brut d'exploitation suffisant pour payer ses impôts, distribuer des dividendes, investir et faire de la recherche. De manière globale, les marges de l'appareil productif français sont les plus faibles de toute l'Europe. L'écart, là aussi, est en train de se creuser, pas tellement d'ailleurs parce que les nôtres baisseraient – elles sont à peu près stables, depuis dix à quinze ans – mais parce qu'on assiste dans les autres pays à un déplacement du partage de la valeur ajoutée en faveur des entreprises. Que nous ne suivons pas. Nous sommes une exception dans le monde occidental. Et donc nos marges restent à peu près constantes, l'excédent brut d'exploitation oscille autour de 30 % de la valeur ajoutée des entreprises. La moyenne européenne est autour de 35 %, la zone euro à 37 %, les Allemands sont passés de 35 % à 40 % en dix ans, niveau qui est également celui de l'Italie. L'Allemagne est un tiers au-dessus de nous, elle peut donc financer davantage de recherche privée et d'innovation-produit que nous.

Là où nos concurrents ont fourni les efforts nécessaires pour muscler leur appareil productif, nous avons peu fait, et tard. Le crédit impôt-recherche, qui est une excellente mesure, n'a été mis en place qu'en 2008, la réforme de la taxe professionnelle qui l'est également n'est intervenue qu'à partir de 2010. Ne croyons pas que cela suffira : le retard à rattraper est considérable. De 2000 à 2008, la masse totale des marges brutes de l'industrie (EBE, Excédent Brut d'Exploitation) a diminué en France de 0,4 % par an, soit de 3,5 % sur la période. Dans le même temps, elle augmentait de 3,7 % par an dans la zone euro et de 6 % en Allemagne, soit des progressions cumulées en niveau de respectivement + 33 % et + 60 %. L'évolution est pire pour les industries manufacturières où le recul français (– 3,7 % par an) est encore plus prononcé : le niveau 2008 des marges brutes est, en masse, inférieur de 35 % à celui de 2000, alors qu'il est supérieur de 25 % dans la zone euro et de 50 % en Allemagne. En dix ans, nous avons perdu, en valeur relative, la moitié de notre carburant.

A ce sujet, faisons, pour nous détendre, une petite pause politique et polémique. J'entendais récemment Jean-Luc Mélenchon, candidat à l'élection présidentielle, donc un homme sûrement sérieux et responsable, affirmer : « Au cours des vingt-cinq dernières années, par rapport au total de la richesse produite par le pays, 10 points sont passés des poches du travail à celles du capital. Soit 195 milliards d'euros par an. J'appelle à une restitution sociale. Si je gouverne, je reprendrai cet argent. » Ces chiffres sont faux, et donc l'idée qui les accompagne. Prenons 2010 ou 2011 moins vingt-cinq ans, cela nous ramène exactement à 1985 ou 1986 (au choix). S'il vous plaît, Grand Leader de Gauche, d'où sortent vos chiffres ? La valeur ajoutée des sociétés non financières représente aujourd'hui 1 000 milliards d'euros, soit 50 % du PIB. En 1985, leur taux de marge brute (part de l'excédent brut d'exploitation dans la valeur ajoutée) était de 27,2 %, et de 30,7 % en 1986. Le chiffre de 2008 (le dernier connu) était de 31,3, celui de 2009 sera sans doute, à cause de la crise, inférieur à 30 %. Cela veut donc dire qu'en vingt-cinq ans exactement la rémunération brute du capital, impôt sur les sociétés compris, a augmenté au grand maximum de respectivement 4,1 % ou 0,6 % de la valeur ajoutée, soit 41 milliards ou 6 milliards d'euros selon l'année de référence. Comment passe-t-on de ces chiffres aux 195 milliards de M. Mélenchon ? Mystère ! Dans le même temps d'ailleurs, la part des impôts sur la production est montée de 1,5 % de la valeur ajoutée à 3,6 %. L'Etat a donc prélevé 2,1 % de plus à son profit, soit 21 milliards. Suivant sa logique, M. Mélenchon reprendra aussi, certainement, cet argent, au titre de la « restitution sociale ».

Mais, pour être beau joueur, on pourrait prendre la référence de 1982, qui marqua en effet un sommet exceptionnel, avec une part des salaires dans la valeur ajoutée des sociétés non financières qui monta à 74,2 %. On voit que la baisse de la part des salaires dans la valeur ajoutée des sociétés non financières ne s'étend pas continûment sur trois décennies comme on voudrait nous le faire croire, mais se mesure par rapport à une seule, la plus éloignée dans le temps. Or 1982 marqua un record historique absolu jamais égalé ni avant ni après, et qui intervint après les trois ébranlements majeurs que furent les chocs pétroliers de 1974 et de 1979 et la relance mitterrandienne de 1981. Comme notre appareil productif supporta alors, en première ligne, le coût de l'ajustement, à la différence de ce qui se passa dans la plupart des pays développés, la part de l'excédent brut d'exploitation des entreprises dans la valeur ajoutée tomba à un minimum historique absolu de 23,9 %, contre 30 % aujourd'hui. A un tel niveau, une fois payés l'impôt et l'intérêt, on arrive à grand-peine à renouveler le capital existant. Inutile alors de parler d'investissement net, donc de croissance. Faudrait-il donc revenir aux ratios économiques de 1982, année de déséquilibre majeur débouchant sur trois dévaluations et deux plans de rigueur ? Si tel est le cas, il faut le dire et le justifier. Car, une fois de plus, après la correction imposée d'une trajectoire insoutenable, le partage salaires-profits est stable depuis deux décennies. A écouter M. Mélenchon et ses amis, il faudrait supprimer la notion même de dividendes, donc de rémunération du capital, donc de capitalisme. Il suffirait de pendre le capital, ce méchant anonyme, pour que la France se porte mieux. On rencontrerait sans doute quelques autres obstacles sur un chemin aussi enchanteur. On ne peut soupçonner tant de bons esprits, tellement attachés au bien public, d'incompétence. Ils savent ce qu'ils font et pourquoi ils travestissent les chiffres ou leur interprétation. La vérité économique leur importe peu, puisque leur thèse est politique.

Des handicaps trop lourds

Mais revenons aux choses sérieuses, revenons à la sous-compétitivité de l'économie française et à un fait étonnant. Dans l'industrie, en général, il faut beaucoup de capitaux pour produire, il faut des usines, des machines, des équipements. La base capitalistique étant plus forte, on pourrait penser qu'au sein d'une médiocrité générale les marges de l'industrie seraient supérieures à celles du reste de l'appareil productif français. Eh bien, c'est le contraire. Surprise absolue : les marges de l'industrie française sont inférieures à celles du reste de l'appareil productif : 27 à 28 % contre

30 %. Aujourd'hui, si vous voulez créer une PME, vous ferez plus de marge dans le commerce ou la restauration que dans l'industrie. Il n'y a pas d'explication parfaite, seulement des éclairages parcellaires, parce que c'est un terrain sur lequel les économistes ont jeté un œil négligent. Pour le Cercle des économistes, le Conseil d'analyse économique, et combien d'autres, il s'agit là de réalités trop vulgaires pour qu'ils s'y intéressent de près.

Quelles explications proposer à cette situation paradoxale? L'industrie est exposée à la concurrence internationale. Pour essayer (en vain) de protéger ses parts de marché, pour en retarder la dégradation, elle a baissé ses prix relatifs, beaucoup plus que les secteurs protégés. Elle souffre, sans beaucoup de succès. La part des produits importés dans la demande intérieure de produits manufacturés était en 1995 de moins de 30 %, en France comme en Allemagne. En 2007, elle était de 36 % en Allemagne, de 43 % chez nous. Dans l'autre sens, la demande mondiale adressée aux deux pays a progressé en volume de 50 % entre 1995 et 2010. Les exportations allemandes ont progressé de 80 %, les françaises de 25 %. On recule sur notre terrain, à domicile, on recule à l'extérieur. Notre attaque patine et notre défense s'écroule.

L'industrie est plus affectée que les autres secteurs par la dégradation de l'appareil productif français depuis une dizaine d'années. Premièrement, quitte à se répéter mais en la matière ce n'est pas inutile, il faut insister sur les effets négatifs du passage aux 35 heures qui ont mis du temps à diffuser leur poison dans l'économie. Tous les progrès de productivité que nous aurions dû faire, tous les efforts pour améliorer notre compétitivité externe, nous les avons affectés à financer ce loisir accru. La France a gagné en RTT ce qu'elle a perdu en parts de marché. Au risque de paraître réactionnaire – mais il faut raisonner en économiste, avec les faits, pas avec des jugements moraux –, il faut aussi noter que, en dépit des plaintes des syndicats et des politiques de tous bords sur le fait que le travail était maltraité dans notre pays, qu'il n'était pas assez payé, la hausse des salaires a été nettement plus forte depuis dix ans en France que dans le reste de l'Europe. Le salaire unitaire a augmenté d'environ 15 %, le double de la moyenne européenne, sans même parler de l'Allemagne, où il a stagné. Ainsi le coût horaire moyen de la main-d'œuvre dans l'industrie en France, qui était inférieur au début des années 2000 de plus de 10 % au coût allemand, a-t-il progressivement rejoint celui-ci [1] alors que, comme nous l'avons déjà vu, la productivité horaire n'a pas progressé beaucoup plus vite. Quel a été, au total, notre handicap de compétitivité sur la période ? Dix pour cent sur les coûts horaires, auxquels on doit ajouter au moins cinq points de plus pour tenir compte de la réduction relative du nombre d'heures de travail dans les

1. Michel Didier et Gilles Koleda, *Compétitivité France-Allemagne – Le grand écart*, Economica et COE, mars 2011.

industries manufacturières françaises par rapport aux allemandes. Au total, le différentiel de compétitivité, mesuré en coût par unité produite, a été de l'ordre de 15 % en dix ans, ce qui est énorme.

Certes le coût des 35 heures a été très partiellement compensé pour les entreprises par des réductions de charges sociales. De tous les secteurs d'activité l'industrie est celui qui en bénéficie le moins : alors qu'elle représente 21 % de la masse salariale de l'ensemble des entreprises, elle ne perçoit que 15 % de celle des réductions. Pour une raison simple : le niveau des salaires y est en moyenne plus élevé, les emplois plus qualifiés, et donc les allègements de charges sociales y sont moins généreux.

Troisième point, et qui prouve au passage qu'en France les idées fausses se propagent à grande vitesse dès lors qu'elles sont commodes politiquement, on entend très souvent, relayée par les médias, l'affirmation selon laquelle les entreprises françaises paieraient peu d'impôts. Une étude très sérieuse du Conseil des prélèvements obligatoires aurait démontré que, malgré un taux d'imposition théorique des profits des sociétés de 33 %, le taux effectif serait seulement de moitié. Et que cette sous-imposition serait d'autant plus avérée que les entreprises seraient plus grosses. Conclusion : elles disposeraient d'importantes marges et seraient mal fondées à se plaindre. Il n'est pas facile de ne pas se laisser gagner par cette affirmation choc. Mais quand on lit le rapport *in extenso*, on se rend compte en réalité que les prélèvements obligatoires totaux sur les entreprises françaises – impôts directs, cotisations sociales et impôts sur la production – sont les plus élevés en Europe, et probablement au monde. Le taux de prélèvement sur les entreprises se monte à 17 % du PIB, soit 6 points au-dessus de la moyenne de l'Union européenne et pratiquement le double de l'Allemagne. C'est la conséquence du choix politique de faire largement financer la protection sociale par les entreprises et non par les seuls ménages : notre système productif paye près de 40 % de notre protection sociale, ce qui est un record mondial. Et on s'étonne qu'il ne soit pas compétitif!

En bref, nous avons mis sur nos champions industriels le handicap le plus lourd au moment de les engager dans la compétition internationale. A l'inverse, depuis le milieu des années 1990, le taux de marge a plus que doublé dans le commerce de détail et triplé dans l'hôtellerie et la restauration [1]. Le soin, l'application, l'énergie avec lesquels nous nous sommes collectivement tiré une balle dans le pied forcent vraiment l'admiration.

L'entreprise mal-aimée

Un problème supplémentaire, qui est loin d'être négligeable, est que l'opinion publique française n'aime pas, au fond, l'entreprise industrielle. Elle aime bien l'entreprise du coin de la rue, le cafetier,

1. *Lettre du Trésor Eco*, Romain Bouis, janvier 2008.

le pressing, ou l'épicier, mais pas la vraie entreprise. Sur les 2,5 millions de prétendues entreprises françaises, elle aime le 1,5 million qui n'en sont pas vraiment. Il faut faire appel à l'histoire et à la sociologie pour expliquer un tel désamour. D'abord, nous sommes depuis très longtemps, en tout cas depuis Louis XI, un pays monarchique où tout découle du pouvoir central et de l'Etat. Tout pouvoir transverse par rapport à ce « centralisme démocratique », par exemple celui du chef d'entreprise, était, et est encore, d'une certaine façon, illégitime. D'ailleurs, la Révolution française a été une révolte de nature politique qui n'a pas touché fondamentalement à cette structure, puisqu'on a remplacé un pouvoir centralisé de nature monarchique par un nouveau pouvoir centralisé dont d'ailleurs on n'a jamais vraiment su, pendant tout le XIXe siècle, s'il devait être monarchique ou républicain. En fait, il est resté tel qu'en lui-même. La Ve République s'inscrit dans cette lignée. A sa manière, le comportement de Nicolas Sarkozy est le dernier avatar de cette permanence, d'un pouvoir central qui se mêle de tout. Jusqu'à par exemple vouloir imposer un prix minimum des droits de retransmission des matchs de football pour que nos meilleurs joueurs ne partent pas à l'étranger, ou le taux de rémunération des heures supplémentaires dans les entreprises de moins de dix salariés. Nous ne sommes plus dans la caricature, mais dans une forme de délire courtelinesque. Et pourtant, nous ne vivons pas dans la Russie des tsars ou de Poutine, mais en France.

Une autre raison historique est que la révolution industrielle française s'est faite dans des conditions extrêmement dures en termes sociaux. Les quelques industriels qui ont fait du paternalisme intelligent, un ou deux fouriéristes, quelques saint-simoniens, ont été des lumières trop rares dans le ciel obscurci du XIXe siècle ! Il y a eu un rejet naturel de cette nouvelle forme de pouvoir du chef d'entreprise, de pouvoir de l'argent, qui était très oppressive, qui n'avait pas de légitimité historique puisque privée de l'onction divine du monarque : le pouvoir civil, dont le pouvoir patronal est la manifestation la plus décisive, n'a jamais été reconnu, et d'autant moins qu'il fut à l'origine plus violent. Cependant, les tentatives de révolution contre ce pouvoir-là, contre « l'exploitation de l'homme par l'homme » (alors que celle de l'homme par l'Etat est supposée être dans la nature des choses) –, les révolutions du XIXe siècle qui avaient un contenu social beaucoup plus important que la Révolution de 1789, ont toutes échoué. Nous n'avons pas réussi à nous débarrasser, si l'on peut dire, d'une forme de pouvoir économique et social considérée dès sa naissance comme illégitime. D'où ce sentiment de rejet latent qui perdure. Enfin – c'est une vieille idée de François Furet –, nous étions peut-être en train de nous réconcilier avec nous-mêmes, c'est-à-dire que nous finissions par admettre l'idée d'un pouvoir civil, dans l'ordre économique, qui ne soit pas de même nature que le pouvoir politique, d'un pouvoir contractuel, accepté du fait même de la force légale du contrat, quand est arrivée la Révolution soviétique de 1917. Celle-ci a fait renaître tous les fantasmes français. Au fond, nous continuons à vivre aujourd'hui en France sous la double tutelle de la toute-puissance monarchique et du rêve communiste. Il n'y a jamais eu dans notre pays de reconnaissance de la légitimité du pouvoir économique en soi. Le pouvoir est politique, donc vertical, il ne peut pas être contractuel, donc transverse. C'est là encore une exception mondiale. Nous vivons dans la nostalgie d'une structure où l'Etat nous prenne complètement en charge, y compris dans nos activités professionnelles. L'Etat, seule autorité acceptable ? Il reste l'idée qu'on peut toujours, s'il nous déplaît vraiment trop, faire la Révolution et mettre la tête du président de la République au bout d'une pique. Ou, plus pacifiquement, le renvoyer par nos votes dans ses foyers, ce qui revient au même dans l'ordre symbolique. L'Etat est-il vraiment révocable ? Bien sûr que non. Le plus souvent, très souvent, trop souvent, on se contente de l'illusion de la Révolution. On fait un jour de grève tous les quinze jours, on arrête un métro sur quatre, un avion sur deux... On manifeste à plusieurs millions une fois par an, on joue, c'est du théâtre ! Cela convient à tout le monde, ça a le goût et l'odeur de la Révolution sans en avoir les inconvénients et les effets induits, souvent dramatiques. Mais dans l'entreprise, ce théâtre-là est impossible. Arlette Laguiller au Crédit Lyonnais, c'est terminé !

Vous croyez que j'exagère? Jean-Luc Mélenchon attaque vigoureusement François Hollande qui propose d'inscrire dans la Constitution l'autonomie contractuelle des partenaires sociaux[1]. Et en quels termes ! François Hollande, cet homme estimable, est accusé de vouloir « instituer un Etat corporatif » puisque le gouvernement et le Parlement seraient juridiquement liés par le contenu des conventions signées entre patrons et syndicalistes. « Le contrat serait au-dessus de la loi. Le peuple ne serait plus souverain pour fixer les normes du droit social. » Et, fort de son indignation, notre pseudo-révolutionnaire appelle le Lionel Jospin de 2000, alors Premier ministre, à son secours : « Je refuse que les contrats reçoivent une valeur plus grande que la loi. Cela signifierait que l'intérêt particulier aurait une valeur supérieure à la loi, alors que la loi est l'expression de la souveraineté du peuple. Cette conception, je la combattrai politiquement et au nom d'une certaine vision de la République. » Fermez le ban !

Une pédagogie de réconciliation de l'opinion publique avec l'entreprise devrait faire partie intégrante des devoirs et obligations des hommes politiques. C'est une tâche considérable parce que le peuple n'aime pas entendre des choses qui ne correspondent pas à ses sentiments du moment ou à sa culture accumulée. Mais il faut essayer. Ce qu'avait fait le même Lionel Jospin, alors lucide, lorsqu'il avait lancé à la suite de licenciements chez Michelin : « L'Etat ne peut pas tout. » Mais toute la gauche, qui avait applaudi quelques années plus

1. *La Tribune*, 27 juin 2011.

tôt quand il avait affirmé, de façon regrettable, que « la rigueur était une parenthèse », lui était tombée dessus alors que la remarque était parfaitement fondée. L'Etat doit fixer un certain nombre de règles d'ordre public, s'occuper d'aider au reclassement des gens qui sont en situation difficile, mais il doit arrêter de s'ingérer en permanence dans la vie quotidienne des entreprises.

Cependant, les hommes politiques ne sont pas les seuls à porter cette responsabilité. Les intellectuels aussi, puisque le mouvement des idées fait bouger les sociétés. Mais que sont devenus les intellectuels français ? Quelle est leur opinion sur ce sujet et le rôle de l'Etat dans l'économie ? Difficile de le savoir. Il est vrai que, vus du café de Flore, les problèmes réels des Français doivent paraître bien lointains, bien vulgaires. Et les rares qui s'expriment le font pour dénoncer un capitalisme supposé ravageur, une mondialisation destructrice, ce qui entretient la peur et nourrit le pessimisme économique des Français, ce qui attise leur haine de l'entreprise. Nous sommes là au beau milieu de cette société de défiance décrite par Yann Algan et Pierre Cahuc[1] pour caractériser notre pays. Or le chemin n'est pas bien long de la défiance à la peur et de la peur au pessimisme. En France, « chacun ressent ce qui lui manque plutôt que ce qu'il a », disait déjà de Gaulle.

On pourrait aussi citer à nouveau Schumpeter dont certaines thèses semblent magnifiquement se

1. *La Société de défiance*, Yann Algan et Pierre Cahuc, Rue d'Ulm éditions, octobre 2007.

vérifier en France. Je le fais avec un sourire, pour bien marquer que je ne partage pas toutes ses idées et que l'iconographie du capitalisme parfait n'est pas plus convaincante que celle du désastre annoncé par ses ennemis éternels. Schumpeter expliquait que le problème du processus de « destruction créatrice » était de présenter des effets positifs à long terme, mais des conséquences négatives à court terme, ce qui empêchait les hommes politiques et les citoyens de reconnaître la supériorité du système pour créer de la richesse : « Nous préférons des contre-vérités grossières plutôt que des vérités évidentes. » Et il ajoutait que l'instabilité intrinsèque du capitalisme suffisait à créer « une incompatibilité d'humeur absolue » entre lui et l'opinion publique. Plus une société voit son bien-être économique progresser, les acquis sociaux se renforcer, moins les gens sont en mesure de supporter l'insécurité. Le capitalisme s'autodétruit au fur et à mesure qu'il réussit, les gens veulent de plus en plus d'un Etat protecteur, de plus en plus de socialisme. D'autant, ajoutait Schumpeter, de façon assez agressive, que l'élévation du niveau de vie et d'éducation gonfle les rangs des « intellectuels » – on retourne encore quelques instants au café de Flore – qui n'ont de cesse « de stimuler, activer, exprimer et organiser les sujets de mécontentement et, accessoirement, d'en ajouter de nouveaux ».

Parce qu'ils ne sont pas intégrés eux-mêmes dans la sphère économique, parce qu'ils gagnent moins bien leur vie que des cadres de chez L'Oréal ou Total, ces intellectuels opposent « un rejet moral à l'ordre capitaliste ». Et ce n'est pas « le spectacle d'exactions honteuses », mais bien « l'insatisfaction et le ressentiment » qui nourrissent « l'indignation vertueuse de l'intellectuel dressé contre le capitalisme ». Regardez le succès extraordinaire du très court livre de Stéphane Hessel, pour lequel j'éprouve par ailleurs amitié et admiration, dont la partie économique se rapproche des idées antimondialistes de ATTAC et du Front de gauche de Jean-Luc Mélenchon. Là encore, on est dans la comédie de la Révolution, comme si s'indigner était suffisant pour refonder une politique et reconstruire un pays.

Pauvre industrie ! Elle a aussi souffert, et c'est loin d'être anecdotique, du fait que la culture économique de nos ingénieurs a longtemps été proche de zéro. Notre enseignement supérieur – nous l'avons déjà évoqué, mais cela vaut la peine d'y revenir – est organisé suivant le modèle général, c'est-à-dire centralisé et spécialisé. Il ne faut jamais oublier que « la société française est une société de charges ». Lorsque vous entrez dans une classe préparatoire à une grande école, c'est pour avoir accès à une charge. Les grandes écoles ont été créées pour répondre de manière spécialisée et spécifique à des besoins de l'Etat. Nous avons donc eu des ingénieurs des Ponts, des Poids et Mesures, du Génie rural, des Poudres, etc. Les élèves ingénieurs, jusqu'à une date relativement récente, ne se voyaient dispenser aucun enseignement économique et il n'est malheureusement pas sûr que les choses aient aujourd'hui suffisamment changé. Pour les gens de ma génération, vous pouviez sortir de Polytechnique – statistiquement, à l'époque, la moitié des présidents des grandes sociétés industrielles du pays étaient d'anciens X – sans savoir du tout ce qu'étaient une entreprise, un compte d'exploitation ou un bilan. Vous n'en aviez pas la moindre idée. Vous aviez encore moins le début d'une réflexion sur ce qu'il faut faire, dans la vie réelle, pour passer de l'innovation au produit, d'un labo public ou privé à une direction du développement ou une direction du marketing... On n'imagine pas le nombre d'innovations qui ont échoué industriellement en France parce qu'elles étaient uniquement d'ordre technique. Le plan calcul, le plan câble, le Minitel, etc. Le contre-exemple étonnant, c'est L'Oréal qui est né de l'invention, seul dans son coin, d'un petit chimiste. Le principe de pluridisciplinarité, contrairement aux Etats-Unis, reste interdit dans la formation des élites françaises. Or le cloisonnement des compétences et des cultures est un formidable handicap dans le développement industriel des innovations technologiques.

Un petit témoignage personnel à ce sujet. J'ai quitté l'aéronautique, où s'est déroulée ma première carrière, à cause de cette étanchéité. Avant de partir au début des années 1970 de la direction de l'Aviation civile où je travaillais sur la conception et le développement des grands programmes de construction aéronautique (Concorde, Airbus), j'ai essayé d'entrer à l'Aérospatiale de l'époque, qui s'appelait Sud Aviation. On m'a répondu : « X, économiste, très bien, et puis quelle école d'application? Vous n'êtes pas ingénieur militaire de l'armement? Alors c'est non... »

L'idée qu'il faut des équipes pluridisciplinaires, ou celle encore plus audacieuse que l'on doit, pendant leurs études supérieures, laisser les étudiants établir leur propre menu, est inconcevable en France. J'ai conçu – c'est une de mes fiertés – à la fin des années 1980 une structure qui s'appelle le Collège des ingénieurs, regroupant une trentaine de jeunes gens avec une formation scientifique très solide mais venant d'horizons et de pays différents et selon un système d'alternance : une semaine de cours, une semaine en entreprise, afin de leur faire passer l'équivalent d'un MBA dans un temps court (douze mois). Elle a été créée à l'Ecole des ponts, à l'époque dirigée par Bernard Hirsch, le père de Martin Hirsch, qui était un grand monsieur, en partenariat avec des entreprises. Cela s'est décidé très vite, au cours d'un dîner. Je lui ai parlé de mon projet, sans trop y croire. « Je prends! » m'a-t-il lancé. La nouvelle école a ouvert six mois plus tard. Depuis, elle connaît un succès incroyable! Pourquoi? Parce qu'elle repose sur le mélange des talents, des compétences et des enseignements. Après, leur diplôme de MBA en poche, les étudiants font ce qu'ils veulent! Tout cela pour dire que dans un environnement américain, le Minitel aurait sans doute connu un autre destin industriel. Peut-être serait-il devenu Internet !

Il faut avoir conscience aussi que, compte tenu des résistances françaises, compte tenu de notre culture, compte tenu de notre passé, de nos passifs, si l'on présente l'industrie comme un retour au XIXe siècle, jamais un projet de réindustrialisation du pays ne pourra susciter l'adhésion et encore moins l'enthousiasme populaires ! Saint-Simon, Napoléon III, cela date un peu ! Il faudrait que le pouvoir présidentiel, qui a aujourd'hui remplacé le monarque – c'est une concession de ma part à l'esprit monarchique –, donne sa bénédiction à un grand projet qui mobiliserait la totalité du pays, toutes classes sociales, toutes corporations, et toutes catégories confondues. Cela pourrait être le développement durable. Ce qui ne veut pas nécessairement dire que l'Etat y mettrait directement de l'argent. Mais il pourrait affirmer : voilà le projet et voilà la manière dont il faut le financer. Messieurs les Français, voilà pourquoi vous allez devoir payer un peu plus d'impôts pendant un certain temps, voilà pourquoi il faut augmenter les marges des entreprises, voilà pourquoi il faut faire davantage de recherche, voilà pourquoi il faut marier davantage l'industrie et les universités, etc. Nous avons besoin de talents industriels nouveaux pour inventer des produits ou des processus qui, aujourd'hui, n'existent pas. C'est un champ gigantesque pour développer toute une chaîne d'innovations, avec, à la clé, un formidable gisement d'emplois. Et cette chaîne, dans sa partie conceptuelle, recherche de brevets, mise au point de processus, sera forcément créatrice d'emplois qualifiés. Nos panneaux solaires sont fabriqués en Chine, la France n'a pas de capacité de production d'éoliennes. Qu'est-ce qu'on attend?

Un micro-exemple. J'ai eu récemment une très longue discussion, lors d'une réunion de chefs d'entreprise, à propos du développement durable. Des industriels étaient là, qui confirmaient : « C'est le gisement d'emplois, de créativité pour demain. » Un patron d'une grande entreprise qui était assis à côté de moi me dit en aparté : « Vous savez, c'est incroyable, aujourd'hui on est capables de faire des logements à consommation d'énergie nulle, voire positive. Avec presque n'importe quelle maison, on arrive, on fait ce qu'il faut, on baisse les consommations de CO_2, d'énergie, de tout ce que vous voudrez, de 25 %. C'est l'enfance de l'art... » Je lui ai dit que c'était en effet très intéressant, que j'aimerais bien avoir un diagnostic pour une maison de campagne très mal isolée et je lui ai demandé à qui m'adresser : « Ah oui, ça, c'est le problème ! » m'a-t-il répondu. Le lien n'existe pas, il n'y a pas de mobilisation d'ensemble, il y a des mesures fiscales éparpillées dans la nature, mais rien de cohérent. Au lieu d'un Grenelle de l'environnement, nous devrions organiser un Grenelle de l'industrie et du développement durable. Le développement durable pourrait être demain chez nous l'équivalent aujourd'hui de Google, d'Apple ou de e-Bay aux Etats-Unis. Pourquoi eux et pas nous? Parce que les Etats-Unis, malgré leur déclin industriel, nous restent supérieurs sur plusieurs points : leur niveau de dépenses de recherche et de développement est très supérieur au nôtre, l'un des plus élevés du monde. Cette recherche est essentiellement de caractère privé; le pays a gardé cette capacité de mariage de l'université et de l'industrie, et donc d'innovation, que nous n'avons plus et que nous n'avons en vérité jamais vraiment eue.

Le plus inquiétant est qu'on ne sent pas, dans notre classe politique, de volonté de déplacer vraiment les lignes autrement que par le verbe. On prétend aller chercher les points de croissance avec les dents, on prétend restaurer la compétitivité de l'appareil productif français, mais ce n'est pour l'essentiel, quand on regarde les mesures prises, que du discours, de la rhétorique, de l'agitation superficielle et vaine. Hélas.

6

La dette parasite

Alors que l'élection présidentielle approche, il ne semble pas que le problème de la dette publique soit au cœur des préoccupations, tant de la classe politique que de l'opinion publique. On entend beaucoup plus parler de pouvoir d'achat, d'augmentation du prix de l'essence, du prix des pâtes, de chômage ou encore de réduction des inégalités. La situation des finances publiques françaises apparaît pourtant inquiétante, avec des déficits records et une dette qui augmente rapidement. D'autant plus inquiétante au vu de ce qu'il vient de se passer en Grèce, en Irlande ou encore au Portugal. Le gouvernement se veut rassurant en disant que notre cas n'a rien à voir avec celui de ces trois pays. Nous n'aurions rien à craindre. Est-ce si sûr ? Et comment s'y prendre pour revenir à l'équilibre budgétaire sans casser une croissance déjà faible et lorsqu'on sait que, depuis 1973, la France n'a pas dégagé un seul excédent, ce

qui en fait une exception parmi tous les grands pays industrialisés. Comment faire pour que l'Etat se débarrasse de son addiction à la dette ?

Il y a à l'évidence un mal français dans cette suite ininterrompue de déficits publics depuis plusieurs décennies et cette incapacité structurelle à dégager des excédents, même quand la conjoncture est favorable. Pour tenter d'en trouver les racines, il faut convoquer l'histoire et aborder un thème déjà évoqué, qui tient à la nature même du pouvoir en France. J'ai déjà noté qu'il n'y a pas de pouvoir civil dans notre pays, seuls existent pouvoir politique, pouvoir monarchique. La notion de pouvoir contractualisé, ou reconnu comme tel, est ignorée. On peut citer à ce sujet l'article III de la Déclaration des droits de l'homme de 1789 : « Le principe de toute souveraineté réside essentiellement dans la Nation. Nul corps, nul individu ne peut exercer d'autorité qui n'en émane expressément. » Presque tout est dit dans ces deux phrases qui expliquent pour une bonne part le fait que les finances publiques n'ont jamais été équilibrées. Qui oserait critiquer l'endettement du souverain ? On retrouve en fait, quitte à paraître archaïque, le même vieux débat politico-social qui fait que les finances publiques du monarque sont toujours déficitaires. Car cet Etat central est dispensateur de charges et de bienfaits, indépendamment de ses obligations régaliennes qui le conduisent à faire la guerre et à payer les gendarmes. Il entretient une société très stratifiée, une société peut-être pas de castes, le mot est trop fort, mais de catégories sociales distinctes, aux charges spécifiques. Une société de corporatismes et de clientélisme. C'est la poursuite, sous une autre forme, du roi donnant des fiefs en apanage ou répandant des bénéfices. Il en résulte pour chaque catégorie une lutte permanente afin d'obtenir de l'Etat des avantages particuliers, des privilèges, et pour faire en sorte que les autres paient l'impôt à sa place. Rappelons-nous la bataille fantastique à laquelle donna lieu par Caillaux la création de l'impôt sur le revenu.

La Constitution de la Ve République a maintenu ce principe d'un pouvoir monarchique, favorable au développement de la dette publique puisque le monarque, par nature, échappe aux lois ordinaires. Le général de Gaulle, qui était un homme d'Etat, a voulu un système institutionnel qui lui permette d'exercer en toute liberté son pouvoir, sans être entravé par les corps intermédiaires, les partis, le Parlement, etc. Il a fabriqué un système institutionnel dans lequel la détention du pouvoir confère au président de la République un statut exceptionnel puisqu'il n'y a pratiquement pas de contre-pouvoir. Les hommes politiques d'aujourd'hui, plus ordinaires, ne se battent que pour l'obtention de ce pouvoir dont l'exercice devient second. Cela constitue un terreau extrêmement favorable à l'endettement de l'Etat et au discours démagogique. Car l'emprunt est le moyen le plus facile pour un gouvernement de satisfaire à bon compte – on devrait plutôt dire à mauvais compte – les citoyens. De se procurer de l'argent qu'il n'a pas sans régler lui-même l'addition puisque ce sont les gouvernements ultérieurs et les générations futures qui devront la payer. Si s'endetter c'est céder à la facilité, se désendetter, cela exige du courage politique, cela suppose de ne pas avoir peur de se mettre à dos, au moins temporairement, l'opinion publique. Cela suppose d'avoir à l'Elysée et à Matignon de véritables hommes d'Etat. Aurons-nous bientôt cette chance ? Le temps presse.

Histoire de la dette publique

Un petit rappel historique, plus vaste et plus global, n'est pas inutile pour mieux comprendre l'origine même de la dette publique et pour éclairer le cas français. La dette publique est presque aussi vieille que l'humanité. Cinq siècles avant Jésus-Christ, Hérodote évoquait, pour la blâmer, la folie dépensière du pharaon égyptien Khéops, qui, après s'être endetté jusqu'au cou pour construire la grande pyramide de Gizeh, avait contraint sa fille à se prostituer afin de pouvoir honorer ses créanciers. C'est d'ailleurs à l'époque où vivait « le père de l'histoire » que l'emprunt public commença à se répandre dans les cités grecques. Pour financer les guerres. Pendant celle du Péloponnèse, les alliés de Sparte empruntèrent des fonds aux sanctuaires de Delphes et d'Olympie pour équiper une flotte. Si les Grecs avaient l'emprunt facile, les Romains, en revanche, eux, en usaient peu, sauf cas exceptionnels, comme pendant les guerres puniques. A la fois parce qu'ils levaient l'impôt sur les riches citoyens, et aussi parce que les guerres, avec les butins, permettaient d'assurer l'équilibre des comptes publics.

Un petit saut d'un millénaire, et on se retrouve en Angleterre, au monastère d'Evesham, dans les West Midlands. On assiste là-bas à un épisode emblématique de la spécificité supposée d'un emprunteur public, à savoir son essence pérenne : vers 1200, le moine Thomas de Marlborough réussit à convaincre les autres frères qu'il était possible de contracter une grosse dette afin de financer les frais d'un procès contre l'évêque voisin de Worcester, « car le couvent est comme immortel ». Un avantage certain sur un évêque qui, lui, est mortel et ne peut emprunter qu'à titre privé.

Mais c'est vraiment deux cents ans plus tard, dans l'Italie de la Renaissance, que le système de dette publique, au sens actuel du terme, c'est-à-dire de prêts accordés à une collectivité, et non à un individu, fût-il roi, se met en place. Trois causes à cet essor : un état de guerre permanent, la monétarisation progressive de l'économie et l'émergence des premiers instruments d'un capitalisme financier. On use et on abuse alors de l'emprunt public. Florence, en 1427, se trouve rongée par la dette publique, avec des recettes de 281 319 florins pour une charge annuelle de service de la dette de 281 501 florins. Au secours, le FMI !

Les siècles passent, les guerres se multiplient, de plus en plus coûteuses – des effectifs militaires plus nombreux et de mieux en mieux payés, des équipements sans cesse plus onéreux –, provoquant des poussées d'endettement public. Pour financer ses guerres, Louis XIV endettera méthodiquement son royaume, portant le niveau de dette, selon les estimations, entre 83 % et 167 % du PIB – la France du Roi-Soleil n'aurait pas été éligible à l'euro ! A cette aune d'ailleurs, Nicolas Sarkozy et ses prédécesseurs sont, pris tous ensemble, comme un petit Roi-Soleil.

Mais la Révolution approche : n'oublions pas que les Etats généraux avaient été réunis, en mai 1789 à Versailles, avec pour premier objectif de trouver une solution à la crise financière gravissime que connaissait alors le royaume qui ne parvenait plus à placer ses emprunts. Ainsi commençait la lettre de convocation adressée par Louis XVI : « De par le Roi, Notre aimé et féal. Nous avons besoin du concours de Nos fidèles sujets pour Nous aider à surmonter toutes les difficultés où Nous Nous trouvons relativement à l'état de Nos finances. » Lors de la séance inaugurale et dans un discours de près de trois heures au cours duquel le roi s'était endormi, le ministre des Finances, Necker, avait fait une description détaillée et alarmiste de la situation des comptes de l'Etat : un déficit du budget de 55 millions de livres, une dette de 4,5 milliards, soit, pour autant que l'on puisse en juger aujourd'hui, de l'ordre de

100 % du PIB, niveau similaire à celui que nous connaissons.

Au XIXe siècle, les Bonaparte prennent le relais et émettent à tour de bras des emprunts qui nourrissent le monde des rentiers de Balzac. Aux Etats-Unis, la guerre de Sécession fera passer la dette publique de 90 millions de dollars en 1861 à plus de 2,3 milliards cinq ans plus tard, des dérapages que les deux guerres mondiales et celle du Vietnam perpétueront au XXe siècle.

Ce détour dans le temps et par les pyramides égyptiennes permet de mieux comprendre la légitimité historique dont peut bénéficier en France, où le pouvoir reste de nature monarchique, la dette publique. Hier pour financer les guerres et assurer les rêves de grandeur des rois, aujourd'hui pour garantir la paix sociale et combler les envies de réélection des présidents de la République !

Le laxisme français

Après la Seconde Guerre mondiale et jusqu'en 1983, l'Etat, dans un modèle consensuel partagé entre classe politique, patronat et syndicats, distribuait des salaires et de la protection sociale, devenant de plus en plus généreux en termes de retraite, de congés et d'assurance maladie. A l'époque, comme les gouvernants avaient compris que cela conduisait à augmenter les charges des entreprises au-delà du soutenable, la France a eu recours à des politiques inflationnistes et à la dévaluation permanente de sa monnaie. Cette inflation volontaire, d'autant plus facile à mettre en place que la politique monétaire, délibérément laxiste, était elle aussi entre les mains de l'Etat – la Banque de France n'était pas encore indépendante –, se trouvait compensée par des dévaluations récurrentes. André Bergeron, secrétaire général de Force ouvrière, réclamait alors « du grain à moudre ». Le cycle distribution-inflation-dévaluation était parfaitement accepté par l'ensemble des élites politiques françaises, et une partie en garde la nostalgie. L'avantage de ces périodes à inflation forte est que celle-ci s'accompagnait de taux d'intérêt réels négatifs. Et donc la dette publique restait modérée en pourcentage de PIB, l'endettement était effacé par la hausse des prix. Ce modèle-là fonctionnait d'ailleurs bien dans un régime de taux de change national, ajustable régulièrement, sauf bien sûr pour les malchanceux dont les revenus n'était pas indexés sur les prix. Mais vis-à-vis de l'extérieur, ces dévaluations permanentes diminuaient la valeur du travail français, ce qui signifie que vis-à-vis des autres pays, notamment de l'Allemagne et de son deutsche mark fort, la France s'appauvrissait continûment, sans s'en rendre compte.

La première année du septennat de François Mitterrand a continué sur cette logique. L'Etat a distribué à tout-va : la retraite à soixante ans, l'augmentation de 25 % des allocations familiales, l'augmentation de 15 % du Smic, les 39 heures payées 40... Avec à la clé une série de dévaluations. Pour ne pas avoir à quitter le SME et renoncer à ses ambitions européennes, Mitterrand a décidé en mars 1983, lorsqu'il s'est retrouvé face au mur, face au risque de catastrophe économique, de suivre les avis de Pierre Mauroy, Premier ministre, et de Jacques Delors, ministre des Finances, de changer de cap, d'abandonner une partie de son volontarisme « de gauche » et de prendre le virage de la désinflation compétitive. Avec la volonté, exprimée par Jacques Delors, de ramener le taux d'inflation français au niveau allemand et de ré-accrocher complètement le franc au deutsche mark. Cela a prix dix ans mais nous y sommes parvenus. La spirale inflation-dévaluation a été cassée, mais comme l'Etat a continué à distribuer, la France est entrée dans une ère d'augmentation de la dette publique et de déficit permanent. Quand il n'y a plus d'inflation pour la gommer, la dette publique, une fois qu'elle est créée, est là, lourde, de plus en plus lourde.

Bien entendu, nombreux sont ceux, de tous bords, qui ne nous ont pas pardonné cette correction majeure de trajectoire.

L'illusion maintenue

La France est ainsi entrée dans la modernité de façon partielle, ambiguë, contradictoire, derrière l'alibi de la pensée keynésienne, comme on l'a dit, portée par 99 % des élites dirigeantes du pays. C'est-à-dire l'idée que la machine économique, spontanément, ne peut pas fonctionner correctement. On l'a déjà dit : pour les gens de gauche, et en particulier pour les socialistes, qui ne sont plus marxistes, Keynes est devenu l'icône de remplacement de Marx. « Messieurs les marxistes, nous n'avons plus besoin de Marx, nous avons Keynes ! Keynes a sauvé l'économie de marché contre les libéraux, donc on va continuer à le suivre. Keynes est notre référent économique. » La référence à Keynes est aussi très commode pour les syndicalistes qui peuvent chaque fois demander à l'Etat d'intervenir et de les aider, puisque celui-ci est toujours en mesure de payer et qu'il est supposé infiniment riche. Une large partie du patronat est dans cette même logique : « On va faire un petit quelque chose de notre côté, mais il faut que l'Etat accompagne, consente un effort. » Là est ce qu'il y a de plus nocif dans cette transposition de la théorie keynésienne – plus je vieillis, moins je suis keynésien – et qui explique ce qu'il s'est passé en France : la conviction que la machine économique a besoin, en permanence, d'être dopée, qu'elle ne peut pas fonctionner naturellement à plein régime, qu'elle est anémiée. A chaque problème social qui se pose, syndicats et patronat se retournent vers l'Etat en lui demandant un effort financier. Et comme celui-ci n'ose pas relever l'impôt en conséquence, comme il est convaincu, au fond de lui-même, de la nécessité de son intervention et qu'il croit qu'avec ses dépenses il injecte du vrai pouvoir d'achat dans la machine économique, il s'endette ! Avec l'illusion collective que la dette de l'Etat, au fond, ne coûte rien, qu'elle est permanente et qu'il y aura toujours une génération future pour la rembourser ou la renouveler. Il ne se trouve personne pour se demander pourquoi la machine économique française, pendant trente ans, est restée anémiée, malgré l'application permanente des recettes pseudo-keynésiennes. Et pour se dire que le prétendu remède est peut-être précisément à l'origine du mal.

Même les gouvernements de droite, pourtant étiquetés libéraux, se montrent souvent, lorsqu'ils sont au pouvoir, encore plus keynésiens et dépensiers que ceux de gauche – il suffit d'ailleurs de voir les convictions économiques de quelques-uns des plus proches conseillers actuels de Nicolas Sarkozy, et notamment Henri Guaino ! Car il faut tout de même noter qu'à l'intérieur de cette période qu'on pourrait peut-être appeler, pourquoi pas, « les Trente Dépensières », après la folie initiale du premier budget 1981-1982 (mais qui s'explique politiquement) la gauche est redevenue très vite relativement sérieuse. Comme on l'a déjà vu, le déficit public français, qui est permanent, était inférieur pendant toute cette période, chaque année jusqu'en 1993, au déficit moyen de l'ensemble des pays de l'actuelle Union européenne. Alors qu'en 1982 on était 5 ou 6 points au-dessus de nos voisins européens en terme de dépenses publiques par rapport au PIB, on a réduit peu à peu l'écart et presque rejoint la moyenne : il n'y avait plus que 2 points d'écart en

1993. Et puis la récession de 1993 est arrivée et, patatras, on est reparti dans le mauvais sens. Depuis 1993 jusqu'à aujourd'hui, Jospin compris – même s'il se vante d'avoir beaucoup réduit le déficit en omettant de dire que la croissance annuelle dépassait alors les 3 % –, le déficit public français est redevenu supérieur au déficit de la moyenne de la zone européenne. L'écart s'est recreusé et la dépense publique, rapportée au PIB, est redevenue supérieure de 5 à 6 points à la moyenne européenne. Tout est à refaire.

Ce qui n'empêche pas les épigones keynésiens de continuer à pérorer. En disant par exemple qu'il convient de relativiser le niveau actuel de notre dette, dans la mesure où la situation est pire ailleurs et où tous les pays industrialisés ont connu, avec la crise, une explosion de leur endettement. Le problème est que la France est le seul pays à n'avoir jamais réussi, au cours des dernières décennies, à réduire sa dette à un moment ou à un autre, contrairement à des pays comme l'Espagne, le Royaume-Uni, l'Allemagne, le Canada, la Belgique et d'autres encore. En France, la dette n'a fait qu'augmenter, ce qui ne doit pas étonner car au fond elle a fini par faire partie intégrante de notre mode de développement économique.

L'internationalisation progressive de la dette publique française, détenue aujourd'hui à hauteur de 70 % par des investisseurs étrangers, a encore accru le mirage du caractère indolore de l'endettement. Une dette externe, c'est une façon de fabriquer artificiellement un pouvoir d'achat qui n'a pas été réellement gagné par le pays mais qui a été emprunté à l'étranger. On achète aux Allemands des BMW ou des Mercedes, aux Chinois des T-shirts ou des téléphones avec l'argent qu'ils nous prêtent. Ici encore, nous sommes en imitation du modèle impérial, sauf que nous, nous n'émettons pas la monnaie que nous empruntons. C'est un système absurde et très précisément ce qu'on appelle vivre au-dessus de ses moyens. Véritable aubaine, cet argent presque tombé du ciel a aussi un côté pervers, dans la mesure où il installe le pays dans une position d'assisté et n'incite pas du tout l'appareil productif à des efforts de compétitivité puisque, de toute façon, le pouvoir d'achat monte parallèlement à l'endettement externe. D'où, pour l'Etat, un phénomène d'addiction à la dette, comme pour un ménage avec ses crédits à la consommation. La France est au fond exactement dans la situation américaine, où les bons du Trésor sont majoritairement détenus par les Chinois et les Japonais. Ce qui fait qu'on devrait être moins virulent lorsqu'on se scandalise de voir les Américains financer leur déficit et leur endettement grâce à leur privilège monétaire. Nous faisons la même chose et nous bénéficions de l'attrait que possède l'euro sur les investisseurs asiatiques grâce aux performances économiques de l'Allemagne. En résumé, et pour parler simplement, une dette externe permet de vivre aux crochets d'autrui. Cela autorise une vie facile, insouciante, mais aussi faite de dépendance et qui n'est donc que provisoire. On est exactement dans la fable de La Fontaine : quand la bise vient, on est fort dépourvu.

La dette et l'épargne

Lorsque la dette n'est pas financée par l'extérieur – M. de La Palice l'aurait dit –, c'est qu'elle est financée par l'intérieur. Et par l'épargne des ménages, puisque les entreprises consacrent leur épargne brute à l'investissement et sont, elles-mêmes, la plupart du temps, emprunteuses. Si la dette publique augmente en proportion du PIB, c'est donc qu'une partie croissante du patrimoine financier des citoyens est investie en créances sur l'Etat. En bref, la dette publique est un moyen détourné d'enlever aux ménages une capacité de dépense que l'Etat exerce à leur place, là où l'impôt est jugé politiquement trop rude pour l'atteinte du même objectif. Derrière toute politique d'endettement public se glisse donc l'idée que l'Etat, incarnation de la collectivité, est mieux placé que les individus pour juger du bien-fondé de leur dépense. De là découle que le keynésianisme résonne souvent comme un écho assourdi, sinon du collectivisme, en tout cas de l'étatisme auquel il fournit une sorte de caution académique.

La dépense publique vaut-elle de contraindre les ménages à l'épargne, donc à diminuer leur propre dépense pour la financer? Est-elle, en quelque sorte, supérieure à la dépense privée? Certains le pensent pour des raisons philosophiques parfois inattendues. Ainsi de l'hommage indirect du patriarcat roumain à lord Keynes dans un communiqué de mai 2010 réclamant de l'argent public (400 millions d'euros) pour la construction de la nouvelle cathédrale pour la Rédemption du peuple, hommage que l'on pourrait avec un brin d'ironie retrouver sous d'autres oripeaux chez des écoles de pensée bien différentes : « Afin de dépasser tant la crise morale que la crise économique, nous estimons qu'il faut poursuivre la construction d'églises. L'ouverture de nouveaux chantiers permettra de créer des emplois et de combattre l'individualisme, tout en aidant les fidèles à combattre le désespoir et la déshumanisation. » Changeons quelques mots : on pourrait mettre ce discours dans bien des bouches politiques.

Plus sérieusement, certaines composantes de la dépense publique sont incontournables, impérieuses. Tel est le cas des activités régaliennes qui contribuent directement à la sécurité de la Nation et permettent d'assurer le fonctionnement des pouvoirs publics. Ou encore d'un certain nombre de services publics (enseignement, système de santé...) essentiels au développement humain de la collectivité. Le tandem qui mérite réflexion est donc celui qui lie dépense publique et dette publique. Quand cette association est-elle légitime ? Quand un supplément de dépense publique se révèle-t-il souhaitable, de manière transitoire, ce qui autorise à ne pas le financer par l'impôt ?

Lorsque, pour des raisons conjoncturelles, il peut avoir des effets positifs sur le niveau d'activité économique. Encore faut-il comprendre comment et pourquoi la substitution d'un Etat dépensier à des ménages supposés craintifs ou indolents améliore, au moins pour un temps, le dynamisme du tout.

Tout dépend de la nature du transfert. Si, pour financer le surcroît de la dette publique, les ménages diminuent leur niveau de consommation ou d'investissement, l'effet net sera à peu près nul : la demande totale reste à niveau constant puisque la dépense de l'Etat augmente à hauteur de la diminution de celle des individus. On ne voit guère par quelle qualité essentielle la consommation ou l'investissement publics l'emporteraient sur ceux des ménages privés, pourquoi le plus d'un côté vaudrait davantage en valeur absolue que le moins de l'autre. C'est donc sur les comportements d'épargne qu'il faut se concentrer. De quoi parle-t-on exactement ? L'épargne est en effet une notion ambiguë, dont on ne sait plus très bien si elle appelle éloge ou condamnation. D'un côté, les comptables nationaux nous disent qu'il n'y a pas d'investissement sans épargne d'un montant égal et les économistes du développement, soucieux de long terme, expliquent que l'augmentation régulière de son volume est une condition *sine qua non* de la croissance. De l'autre, les conjoncturistes, les keynésiens de tout poil, professionnels ou assimilés, et l'immense majorité des hommes politiques voient dans l'épargne d'abord le renoncement à la consommation. L'erreur collective de jugement est ainsi solidement ancrée : si l'on pense, à tort, que la consommation est le moteur exclusif de la machine économique, l'épargne excessive des ménages doit être combattue. Pour ce faire, le mieux est de la pomper par emprunt au profit de l'Etat qui dépensera aussitôt les sommes ainsi recueillies. A ceci près que ce même raisonnement, appliqué à l'impôt, lui confère les mêmes vertus qu'à l'emprunt : si le prélèvement sur l'épargne est bénéfique, le prélèvement fiscal l'est définitivement. La dette publique, faible succédané de l'impôt, n'a donc, hélas, toujours aucune justification à son envahissante existence.

En outre, le raisonnement est largement faux. Les ménages chinois épargnent la moitié de leur revenu, contre 16 % pour les français. La Chine a un taux de croissance de 10 % l'an, la France d'environ 1,5 %. Cherchez l'erreur ! Une approche plus exacte passe par la qualification précise de l'épargne concernée. Si elle est active – placée dans de vrais projets d'investissement visant à augmenter la capacité productive du pays –, son détournement par les caisses publiques serait sans effet positif. Remplacer de l'investissement privé dans l'appareil de production ou dans le logement par son équivalent public, par exemple dans les infrastructures, ne constitue pas en soi un facteur de croissance, et encore moins si les dépenses publiques ainsi financées sont de fonctionnement et non d'investissement. Vaut-il mieux une usine de plus ou un rond-point de conseil général ? Rien n'est plus stupide que de dévoyer les capacités d'épargne longue pour financer l'administration quotidienne du pays.

La dette publique, qu'elle soit interne ou externe, n'a donc aucune justification d'aucune sorte : elle est destructrice de richesses, sauf dans les périodes, Dieu merci pas trop fréquentes, de vraie récession. Dans un cas, la théorie keynésienne n'est pas sans mérite : celui où la diminution de la demande finale des ménages, tant de consommation que d'investissement, est la conséquence directe d'un volume accru d'épargne de précaution, c'est-à-dire d'épargne passive. Les économies recherchées par les uns ou les autres ne sont pas investies dans l'économie réelle mais gardées sous forme liquide, en dépôts bancaires ou SICAV monétaires. Dans ce cas, mais dans ce cas seulement, l'activation par l'Etat emprunteur de l'excès d'épargne de précaution peut avoir des conséquences positives pour la croissance globale. Dans ce cas, mais dans ce cas seulement, la dépense publique est de meilleur aloi que la dépense privée puisque cette dernière est évanescente. Dans ce cas, mais dans ce cas seulement, la dette est le bon instrument de ce recyclage provisoire puisqu'elle évite de ponctionner davantage des individus dont on souhaite qu'ils sortent le plus vite possible de leur déprime dépensière pour retrouver un plein régime d'activité économique. La dette publique est donc un adjuvant conjoncturel, rien de moins mais surtout rien de plus. Quant à la dépense publique, elle permet, par exception, de lutter contre les récessions.

Malheureusement, la théorie de l'exception est devenue, en France, théorie générale de la consommation et de la dette. Telle est l'idée reçue : les ménages ne consommeraient pas assez, ce que montrerait bien un taux d'épargne trop élevé. Cette frugalité serait cause d'un sous-investissement des entreprises et donc de la stagnation de tous. Il serait ainsi du devoir de l'Etat d'emprunter pour forcer la dépense. Mais au fur et à mesure que l'encours de dette publique s'élève, le taux d'épargne privée fait de même ! Ce qu'avait annoncé Ricardo : les ménages, anxieux de la situation des finances publiques, épargnent davantage en prévision de la hausse des impôts à venir, qu'ils savent inéluctable. Et, les mêmes causes provoquant les mêmes effets, la hausse du taux d'épargne, à son tour, justifie aux yeux de nos dirigeants une nouvelle vague de dépenses et de déficit publics. Cet enchaînement explique fort bien la découverte empirique de deux économistes américains : Kenneth Rogoff et Carmen Reinhart ont analysé dans quarante-quatre pays, sur longue période, le lien entre croissance du PIB et endettement public. Le résultat de leur étude est sans nuances : l'endettement des Etats a des effets négatifs sur le taux de croissance, et de façon d'autant plus prononcée qu'il est plus élevé. Les pays dont la dette publique dépasse 90 % du PIB ont un taux de croissance trois à quatre fois plus faible que ceux où elle est inférieure à 30 %. On notera, bien sûr sans aucune malice mais avec tristesse, que la France devrait rapidement dépasser ce niveau fatidique de 90 %.

L'endettement et la faillite

On trouve toujours quelques ultra-keynésiens pour expliquer que notre niveau d'endettement n'a rien d'inquiétant : ils en veulent pour preuve l'exemple du Japon, qui n'est pas en faillite malgré une dette de près de 200 % du PIB. C'est oublier d'une part que dans ce pays l'appareil productif, tourné vers l'extérieur, dégage des marges suffisantes pour assurer par lui-même son autofinancement. Et d'autre part que la dette est entièrement financée par les ménages japonais, qui du coup épargnent et ne consomment pas. Avec une dette publique élevée, il y a toujours un des moteurs de la croissance qui fonctionne mal.

Cette spirale diabolique de la dette est-elle donc sans autre limite que la solvabilité même de l'Etat ? Nous y sommes : trente ans d'application acharnée de l'admirable théorie keynésienne, trente ans sans un seul budget public à l'équilibre, trente ans de soutien obstiné de la consommation et nous voilà au bord de la faillite sans avoir connu une croissance plus forte que nos voisins. La dette publique, sauf circonstances exceptionnelles, n'est pas un fortifiant mais un poison.

Maintenant qu'il faut absolument mettre de l'ordre dans nos affaires, on entend toujours les mêmes prédicateurs : ne réduisez pas trop vite les déficits qui, suivant nos mauvais conseils, ont été si profondément creusés. Vous porteriez atteinte au peu qui nous reste de croissance. Mais pour les raisons mêmes précédemment exposées que la dépense et la dette publiques n'ont à peu près servi à rien pendant qu'elles n'arrêtaient pas d'augmenter, pour les mêmes raisons leur réduction n'aura guère d'effet récessif car elle entraînera une évolution parallèle du taux d'épargne des ménages, enfin tranquillisés. Pendant le retour à la sobriété budgétaire, la dépense privée, de consommation ou de financement d'investissements productifs, se substituera à la dépense publique. Un Français sur deux pense aujourd'hui que l'Etat est, à horizon de dix ans, en risque de défaut. Le retour de la confiance par le désendettement, tel est sans doute le meilleur investissement public que l'on puisse faire aujourd'hui. Ensuite, une fois purgée la pensée dominante faite d'une théorie keynésienne mal assimilée, pourra-t-on réfléchir aux vraies conditions de la croissance.

Le caractère insoutenable de la dette publique française commence, on le voit, à apparaître de manière latente dans l'opinion publique, de manière explicite dans une partie encore minoritaire de la classe politique. La publication, il y a quelques années, du *Rapport Pébereau* sur cette question est parvenue à éveiller quelques consciences. Mais dans l'ensemble il reste un déni collectif des dangers de la dette, déni qui affirme que la France ne connaîtra jamais le sort de la Grèce, de l'Irlande et du Portugal. Même chez ceux qui ont conscience du problème, l'ampleur des efforts à accomplir pour le régler est souvent sous-estimée.

Alors, pour l'heure, nos dirigeants se contentent le plus souvent – ce qui est tout de même un comble – de dénoncer le comportement des créanciers qui commencent à s'interroger sur notre solvabilité, dans un curieux mélange de démagogie et de schizophrénie. Quand on lève de la dette, on s'adresse à l'épargnant paré de toutes les vertus, quand on critique les prêteurs récalcitrants, on parle des marchés et des spéculateurs. Ce sont pourtant les mêmes. Quand on place des emprunts du Trésor, on se félicite de la bonne note attribuée par les agences de notation dont on fait un argument de vente, quand ces dernières émettent des critiques sur la gestion de nos finances publiques, on veut les supprimer. Si ça n'était pas tragique, ce serait amusant. De fait, l'Etat français a exactement le même comportement de refus de la réalité que le ménage surendetté. Jusqu'à la veille du défaut, tout le monde pense qu'on trouvera une solution. Qu'on va consolider, étaler les échéances, réémettre de la dette, convaincre le prêteur que l'avenir est tellement brillant qu'il sera remboursé dans deux ou dix ans, à Pâques ou à la Trinité, voire à tout moment grâce au crédit revolving, pardon, « roll-over ». Qu'est-ce que le crédit roll-over ? C'est de la dette publique renouvelée sans arrêt. C'est exactement la même chose que le crédit revolving pratiqué par les ménages surendettés. Comment peut-on condamner le crédit revolving au niveau des individus et le pratiquer à grande échelle au niveau de l'Etat? Jusqu'au moment où, un jour, le prêteur prend peur et décide de ne pas renouveler le crédit. Et peu lui importe alors que vous soyez obligé, pour le rembourser, de casser votre système social, de diminuer les salaires, de licencier des fonctionnaires. C'est ce qu'il vient de se passer en Grèce, en Irlande et au Portugal. Le défaut de paiement, la faillite, contrairement à ce qu'on pense en France, ça n'arrive pas qu'aux autres.

Là encore, les travaux de Carmen Reinhart et Kenneth Rogoff sont très instructifs. Ils montrent que la période récente – les années 2000 – où les Etats ont globalement honoré leur dette constitue une sorte d'heureuse exception, d'accalmie très passagère dans l'histoire financière mondiale. Le défaut de paiement est la norme, intemporelle et universelle. Avec ses champions, au premier rang desquels l'Espagne, avec treize défauts sur sa dette souveraine depuis 1800. Personne n'a fait mieux. La France était pourtant bien partie, avec huit répudiations de sa dette entre 1500 et 1800. Ce qui avait fait dire à l'abbé Terray, contrôleur général des finances du royaume de 1768 à 1774, que « la banqueroute est nécessaire une fois tous les siècles, afin de mettre l'Etat au pair ». Mais la France a ensuite, si l'on peut dire, baissé de régime. A l'inverse d'une Grèce qui, depuis son indépendance, a passé plus de la moitié de son temps en situation de défaut sur sa dette. Seuls l'Equateur, le Honduras et l'Angola la battent dans ce domaine. Au cours du XXe siècle, le Nigeria s'est lui aussi distingué avec pas moins de cinq défauts sur sa dette extérieure depuis sa création en 1960, performance inégalée. Au total, seul un petit groupe de pays a toujours payé rubis sur l'ongle ses créanciers étrangers : Australie, Nouvelle-Zélande, Canada, Corée du Sud, Danemark, Thaïlande, Taiwan, Malaisie, Singapour, Norvège, Belgique, Suède, Etats-Unis.

Que l'Etat ne puisse jamais faire faillite est donc historiquement faux. Comment la catastrophe se produit-elle? Si le principal a vocation à être renouvelé, donc à être indéfiniment reportable, les intérêts, eux, doivent être payés à bonne date. Or si la dette augmente beaucoup plus vite que la masse imposable (le PIB), les intérêts suivent de même manière et le rééquilibrage devient malaisé. *A fortiori* si elle est constituée de « papier creux », émis pour financer les dépenses du quotidien, de fonctionnement et non d'investissement, sans constitution d'actifs ni perspectives de recettes, donc sans capacité propre de remboursement. Un jour, la remise en ordre des finances publiques apparaît impraticable, pour un mélange de raisons économiques et politiques : la dette n'est plus soutenable, elle diverge, comme une fusée qui s'échappe de sa trajectoire. L'alourdissement des impôts, auquel il faudrait consentir pour faire face à une charge d'intérêts qui ne cesse de grossir, devient inacceptable pour les populations : le défaut vis-à-vis des prêteurs est alors la seule solution, certes détestable.

Quelle est la condition d'une stabilisation de l'endettement public ? Que l'on cesse de payer l'intégralité des intérêts, dus au titre du passé en s'endettant à nouveau. Donc que les budgets publics soient en « excédent primaire » (avant charges de la dette) de façon à payer avec de vraies ressources au moins une partie des intérêts. D'autant que l'on est alors dans un rapport de forces plutôt favorable pour discuter avec les prêteurs : les dépenses tant de fonctionnement que d'investissement de l'Etat sont financées par des ressources fiscales. On n'a besoin des prêteurs que pour payer une partie des intérêts qui leur sont destinés. Qu'ils arrêtent de prêter et ce sont eux qui sont lésés, pas l'Etat emprunteur. Alors que si ce dernier est en déficit primaire, l'impossibilité de lever de nouvelles dettes par suite d'un défaut et de la disparition des prêteurs fait qu'il n'a plus la simple capacité de payer tous ses fonctionnaires. On admettra que ce n'est pas une situation idéale pour négocier, comme l'exemple de la Grèce et de quelques autres l'a amplement démontré.

L'Etat souverain

Certes la France ne semble pas, pour l'instant, dans une situation où son crédit international est menacé, mais elle a déjà abandonné une partie de sa souveraineté. Suivant la règle précédente, le solde primaire devrait être suffisant pour interdire que la dette progresse plus vite que l'économie tout entière. Pour la France, cette règle devrait conduire à un excédent primaire de l'ordre de 1 % du PIB, quand le déficit primaire est depuis plusieurs années de l'ordre de 3 à 4 % du même PIB. Nous empruntons pour payer tous les intérêts et bien au-delà. La dette française diverge, elle n'est plus soutenable. Telle une boule de neige dévalant une forte pente, elle grossit sans cesse de son propre mouvement. Et nous sommes, de ce point de vue, dans une situation pire que tous nos voisins européens à l'exception de la Grèce et du Portugal, pire que l'Italie et bientôt l'Espagne.

Le niveau de nos déficits a fait perdre aux gouvernements leurs marges de manœuvre en matière d'ajustement de politique macroéconomique. Pour faire face à une récession – pas la récession séculaire que nous venons de vivre, mais les récessions plus modestes liées au déroulement du cycle économique – il faudrait en théorie disposer de 2 ou 3 points de PIB de réserve pour pouvoir relancer l'économie. On devrait donc en régime de croisière être à l'équilibre – à cet égard le critère de 3 % fixé par le traité de Maastricht est beaucoup trop laxiste. Le déficit se creuserait à 2 à 3 % pendant une éventuelle récession pour revenir à zéro dans les deux ou trois ans qui la suivent. Mais quand vous abordez la récession avec un déficit qui se situe déjà à plus de 3 %, ce dont le Nicolas Sarkozy de 2007 et 2008 fut directement responsable, celui-ci monte ensuite à 5 ou 6 % et il faut alors tout un quinquennat pour tenter de ramener les choses dans l'ordre. Le calendrier économique et le redressement dans la durée de déséquilibres très profonds deviennent incompatibles avec le calendrier politique.

Seconde remarque sur la perte de souveraineté, qui s'ajoute à la précédente et qui aggrave le cas. La dette publique de la France se situe aujourd'hui à plus de 80 % du PIB, dont 15 % seulement liés à la dernière crise, il faut le rappeler. Les projections disent que, sauf action très énergique, elle risque d'atteindre bientôt 100 %. A un tel niveau, une augmentation d'un ou deux points des taux d'intérêt prive n'importe quel gouvernement de toute autonomie en matière de politique économique. Notre déficit actuel, financé à moindres coûts grâce à des taux d'intérêt très bas, peut fort bien dans les mois qui viennent se trouver alourdi (événement certain) de 1 à 2 % du PIB (événement possible). Notre sort dépend à cet égard de l'humeur des marchés financiers internationaux et de la tenue du marché obligataire mondial, sur lesquels nous n'avons aucune prise. Un Etat qui est dans cette situation-là, surtout avec une dette internationalisée comme l'est la nôtre, est forcément un Etat soumis. Plus la dette est élevée, plus elle est détenue par l'étranger, plus il est soumis. Les Mélenchon de service peuvent toujours hurler que « la politique ne doit pas céder à la dictature des marchés », il est peu probable que nos créanciers étrangers, pour les satisfaire, acceptent volontiers de ne pas se voir payer leurs intérêts et rembourser leur principal. Il est bien joli de vouloir mettre au pas les marchés ou, pourquoi pas, de supprimer tous les traders, mais quand ceux-ci paient les salaires de vos infirmières et de vos instituteurs, cela devient plutôt délicat. Le meilleur moyen, pour un Etat, de ne pas être soumis à la « dictature des marchés », c'est de ne pas être endetté ! Sans dette, vous retrouvez votre liberté et toutes vos marges de manœuvre en matière de politique économique sur votre territoire. Il est d'ailleurs curieux de voir que les dirigeants politiques français, si prompts à défendre verbalement la grandeur et l'indépendance nationale, qui se gargarisent de patriotisme économique, ne s'offusquent pas davantage de la perte de souveraineté que signifie l'augmentation de la dette publique. Encore un exemple de double langage.

La situation de nos finances publiques est d'autant plus inquiétante que les remèdes traditionnels pour les assainir ne peuvent être appliqués au malade. Ne serait-ce que parce que l'Etat n'est plus en position de force vis-à-vis des créanciers, comme il a longtemps pu l'être. Il fallait être bien audacieux, ou inconscient, quand on était un créancier du roi de France, pour aller lui réclamer son dû si celui-ci faisait défaut. Ce n'est pas tout à fait un hasard si l'on parlait de *saignées* à propos de ces restructurations radicales de dette. En France, Louis VIII, Louis IX, Philippe le Bel, en Angleterre Edouard Ier, comme plus tard les princes allemands expulsèrent les juifs créanciers. Les Templiers furent, pour les mêmes raisons, exterminés sous Philippe le Bel, et c'est aussi ce qui conduisit à la disgrâce de Fouquet sous Louis XIV. Une autre solution radicale, pour rembourser ses dettes, consistait à faire la guerre, à envahir d'autres pays et à pratiquer la politique du butin. C'est devenu, chacun en conviendra, plus compliqué.

Alors, que faire ? Une solution pour la France consisterait à renouer rapidement avec une croissance forte, comme vient de le faire l'Allemagne, pour dégager des recettes fiscales. Mais cela est impossible à bref délai, compte tenu du délabrement de notre appareil productif et de notre manque de compétitivité. Une autre voie serait de mettre en place des politiques inflationnistes, comme au XXe siècle, lesquelles conduisirent à « l'euthanasie des rentiers », pour reprendre l'expression de Keynes. Nous pourrions y avoir recours si nous étions seuls. Mais nous appartenons à la zone euro, et il est difficile d'imaginer la Banque centrale européenne promouvoir une politique contraire à la mission qui lui a été officiellement assignée par le traité de Maastricht. De même il est illusoire de compter sur le soutien des Allemands, qui sont en train de démontrer qu'il y a une autre politique possible et qui ont des souvenirs historiques extraordinairement douloureux liés à l'inflation. Pour mettre en œuvre une politique inflationniste, il faut échapper à la contrainte européenne. D'une certaine façon, c'était le vieux rêve de Mitterrand 1, celui d'avant 1983 : s'affranchir de cette discipline externe qui empêcherait de faire de la croissance. Si je suis tout seul et souverain sur mon territoire, je fais ce que je veux politiquement, je dévalue tant que je veux, et tout ira bien. Pierre Mauroy a quand même réussi à le convaincre, à l'époque, qu'en termes de pouvoir d'achat c'était la pire des choses. C'est-à-dire que la purge du pays isolé était beaucoup plus forte que celle du pays qui s'adossait à la discipline collective.

Aujourd'hui, se libérer de la contrainte externe signifierait sortir de l'euro, comme le souhaite Mme Le Pen. Mais le retour au franc, à une monnaie fondante, dont plus personne ne voudrait, surtout pas les Français, aurait des effets catastrophiques, se traduirait par une chute spectaculaire et rapide du niveau de vie et un alourdissement immédiatement insupportable d'une dette publique libellée en euros et portée à plus des deux tiers par l'étranger. Il supposerait aussi un contrôle des changes absolu, un retour à l'économie administrée, la fermeture des frontières aux produits étrangers, c'est-à-dire un système dont le moins qu'on puisse dire est qu'il n'a jamais été historiquement synonyme de croissance et de prospérité. Les Français ont-ils envie de suivre le modèle économique cubain ?

Le plus probable – le moins risqué aussi – est donc que la réduction de la dette ne se fera pas par un relâchement de la discipline externe mais au contraire par un renforcement de celle-ci. Faute que nous ayons réussi à nous l'imposer à nous-mêmes, l'Europe va nous y contraindre. L'Europe, et essentiellement l'Allemagne, dont le soutien à l'euro aura pour contrepartie d'exiger de ses partenaires une politique macroéconomique conforme à ses vœux, laquelle passera prioritairement par une réduction des déficits budgétaires et une diminution des « montagnes de dette publique », pour reprendre la formule de la chancelière allemande Angela Merkel. L'amour-propre français en souffrira peut-être, mais que l'Allemagne nous force à gérer sainement nos finances publiques, à nous débarrasser de cette dette parasite sera, au fond, une excellente chose. C'est aussi la contrepartie nécessaire d'un grand projet européen qui consisterait, pour trouver davantage de croissance, à coordonner plus étroitement nos politiques économiques et à mettre en commun la gestion de l'ensemble des dettes publiques de la zone euro. Une discipline accrue est la condition *sine qua non* d'un vrai gouvernement économique européen dont nous avons à maints égards besoin.

7

Le redressement

Vous avez dressé un tableau économique passablement inquiétant d'une France surendettée, sous-compétitive, paresseuse, engluée dans ses déficits publics et ses déficits commerciaux, sans croissance, vivant au-dessus de ses moyens, peu innovante, aux élites mal formées, d'une France qui semble engagée irréversiblement sur la voie du déclin industriel et de l'appauvrissement relatif par rapport à ses voisins, en premier lieu l'Allemagne. D'autant plus inquiétant, à vous écouter, que ces maux français seraient le résultat d'une longue histoire, ancrés dans notre culture et dans les relations historiques du peuple et d'un Etat centralisé qui décide de tout et à qui l'on demande tout. Sans oublier une classe politique aveugle ou lâche, qui, dans son immense majorité, refuse d'affronter les vrais problèmes et qui, parce qu'elle reste sous influence de la pensée keynésienne, continue à vouloir dépenser sans compter. Dans ces conditions,

on se dit forcément que le chemin du redressement que vous invitez le pays à emprunter doit être aussi étroit qu'escarpé.

Pour se redresser, c'est une précision initiale importante, une condition essentielle, il faut le vouloir. Ce qui veut dire que le redressement français ne pourra pas être une opération clandestine qui se ferait à l'insu du malade, un tour de passe-passe de politique économique qui tiendrait les Français à l'écart des ajustements, sans qu'ils s'en aperçoivent. Il faut qu'ils aient envie de se soigner. Il faudra dire d'où l'on part, où l'on va, pourquoi et comment, sans mentir, sans chercher à cacher les efforts ni les difficultés que cela implique. Le devoir d'explication et de vérité est indispensable à une prise de conscience de la collectivité, sans quoi le pays s'enfoncera un peu plus dans le déclin et le pessimisme. Cela suppose de la part des dirigeants politiques qu'ils assument complètement la nécessité du redressement. Dans leurs discours, dans leurs programmes et dans leurs actes. Qu'ils se comportent comme de véritables hommes d'Etat. Aujourd'hui, on a au contraire l'impression que même les rares hommes politiques français lucides sur la situation économique du pays sont persuadés, au moins pour partie, qu'ils n'ont pas d'autre choix que le mensonge par omission et la démagogie par complaisance s'ils veulent assurer leur propre survie ou leur élection future. C'est au fond faire preuve d'un incroyable mépris du peuple.

La méthode

On a évoqué précédemment la figure du général de Gaulle, on peut rappeler la mise en place, en 1958, du plan Rueff. La France, quand de Gaulle revient au pouvoir, se trouve dans une situation économique qui n'est pas sans présenter de nombreux points communs avec la situation actuelle. Elle accumule les déficits budgétaires – pas un seul excédent entre 1931 et 1958, tiens donc ! – et elle enregistre des déficits commerciaux croissants. De Gaulle va confier à l'économiste Jacques Rueff le soin d'élaborer un vaste plan économique pour « remettre la République en place », pour corriger les déséquilibres budgétaires et des comptes extérieurs, consolider la monnaie et préparer la France à l'ouverture commerciale en restaurant sa compétitivité. Rueff était farouchement anti-keynésien. Pas seulement sur le plan monétaire où il était favorable au retour à l'étalon-or, à l'inverse de Keynes. Il expliquait volontiers que « la pharmacopée keynésienne » était « en train de détruire sous nos yeux ce qui subsistait de la civilisation de l'Occident ». Libéral, convaincu de la capacité supérieure de l'économie de marché à créer de la richesse, Rueff était néanmoins persuadé, contrairement à ses homologues anglo-saxons Hayek ou von Mises, que l'intervention de l'Etat est parfois nécessaire pour corriger les équilibres instables et imparfaits du marché. Rueff a donc préparé, avec quelques autres économistes, son plan de redressement qui, outre la création du nouveau franc, consistait en une importante dévaluation, une libération des prix, une suppression des indexations, une réduction des subventions à l'exportation et des taxes à l'importation, une disparition de nombreuses niches fiscales. Bref, une modernisation de l'économie française qui bouleversait beaucoup d'habitudes et dérangeait beaucoup de monde. Autant dire que les grandes lignes de son projet, lorsqu'elles ont été connues, ont suscité une hostilité quasi générale. De la part de l'ensemble des partis politiques, de nombreux hauts fonctionnaires et ministres – dont Antoine Pinay, aux Finances –, du gouverneur de la Banque de France, Wilfrid Baumgartner, du patronat, des syndicats ouvriers et paysans, des militaires. De la presse aussi, à l'exception notable de Raymond Aron dans *Le Figaro*. Mais à son conseiller Roger Goetze, qui évoquait devant lui le risque d'impopularité des mesures, de Gaulle a eu cette réponse qu'on imaginerait mal aujourd'hui dans la bouche de nos dirigeants : « Les Français vont crier... Eh bien, monsieur Goetze, et après ? » Le plan Rueff a donc finalement été lancé et a connu rapidement un succès inespéré : retour aux excédents pour le budget et la balance courante, baisse de l'inflation, bond du pouvoir d'achat, hausse des exportations, réduction de la dette publique, forte augmentation des réserves monétaires. De Gaulle avait, à la radio et à la télévision, présenté et justifié ainsi aux Français le plan

Rueff : « J'ai décidé de remettre les affaires en ordre réellement et profondément. [...] Je ne cache pas que notre pays va se trouver quelque temps à l'épreuve, mais le rétablissement visé est tel qu'il peut nous payer de tout. [...] Sans l'effort de mise en ordre avec les sacrifices qu'il requiert [...], nous resterions un pays à la traîne, oscillant perpétuellement entre le drame et la médiocrité. »

C'était il y a plus de cinquante ans, cela pourrait être aujourd'hui. C'est exactement, au mot près, le discours que devrait tenir le futur président de la République. Plaise au ciel que celui-ci, quel qu'il soit, sache s'en inspirer. Bien sûr, me direz-vous, si un candidat se présentait à la prochaine élection présidentielle avec un programme vraiment rigoureux, même en faisant miroiter la perspective lointaine de jours meilleurs, il n'aurait aucune chance d'être élu. C'est possible, ce n'est pas certain. Il faut faire peu de cas de l'opinion publique pour penser que si on lui explique clairement les problèmes, si on lui indique de façon transparente les mesures à prendre pour les régler, elle refusera de comprendre. On peut remarquer qu'en Angleterre David Cameron s'est fait élire sur un projet dont le moins qu'on puisse dire est qu'il ne promettait pas de « raser gratis ». Même chose au Portugal où certes le pouvoir a changé de mains en 2011, mais avec l'annonce par les vainqueurs d'une austérité renforcée.

En revanche, on ne peut être que très inquiet lorsqu'on observe les positionnements actuels des divers partis et candidats à l'élection de 2012, qui sont tous hors sujet. Nous sommes à la veille d'un indispensable redressement mais pour l'instant le discours n'en est porté par aucune voix autorisée. Le gouvernement actuel, malgré une prise de conscience des difficultés, propose une thérapie qui relève de l'homéopathie. Il est très loin de proposer une action de l'intensité voulue. Quant aux partis d'opposition, au mieux ils avancent des remèdes d'un autre temps, au pire des mesures irréalistes et suicidaires.

Passons en revue les programmes économiques des uns et des autres et quelques-unes des mesures phares qu'ils proposent (Le Pen, Front de gauche, Villepin, Verts, et surtout, bien sûr, ceux du PS et de l'UMP).

Le projet socialiste

Vous me permettrez d'en passer le plus grand nombre non en revue mais purement et simplement par profits et pertes. J'ai déjà évoqué tel ou tel d'entre eux, particulièrement inadapté. Inutile d'y revenir, je préfère me concentrer sur les deux principales formations de gouvernement, l'UMP et le PS.

« Démagogie, approximation, improvisation, ce n'est pas comme cela que l'on gère la France », a déclaré François Fillon aux élus UMP en juin 2011. Parlait-il de Nicolas Sarkozy dont la méthode de gouvernement semble ainsi parfaitement résumée ? Non, bien sûr, mais du PS sur lequel, aurait dit le psychanalyste, il faisait un transfert.

Que peut-on attendre du futur candidat de l'UMP à l'élection présidentielle ? Au vu du passé, rien de très bon. A peine élu en 2007, Nicolas Sarkozy s'était empressé de creuser de deux points de PIB le déficit budgétaire et de multiplier les cadeaux fiscaux, souvent en direction des plus riches d'entre nous : allègement des droits de succession, bouclier fiscal, subvention massive des heures supplémentaires. En 2009 encore, il théorisait une action fort dispendieuse : « Les politiques de rigueur ont toujours échoué. »

Le comble est que ce même homme va essayer de se refaire une vertu aux dépens du PS. Il entend se présenter comme le champion de cette rigueur hier honnie, de la fermeté, du redressement budgétaire. « Ecoutez, braves gens, ce que je dis, oubliez ce que j'ai fait. » Il va, à coup sûr, faire de la dette et du déficit un thème majeur de sa campagne, et tenter d'accabler son adversaire socialiste de procès en irresponsabilité. Ne doutant de rien, fort d'un incomparable culot, il est convaincu que la vigueur de ses attaques fera oublier ce que fut sa propre insouciance. Hélas, il n'est pas exclu qu'il parvienne à marquer quelques points dans cette partie truquée, tant les socialistes prêtent le flanc à ce genre d'agression.

Le projet socialiste, en effet, relève de l'exercice préélectoral classique : beaucoup de critiques du passé, quelques engagements d'annulation d'actes du gouvernement précédent et de nombreuses promesses de distribution. Comme le PS a quand même conscience que, s'il prend le pouvoir, des temps difficiles l'attendent, que le texte n'est pas tout à fait délirant, celui-ci a été qualifié de « sérieux » par maints observateurs et bien entendu par les socialistes eux-mêmes. Nous sommes cependant fort loin du compte.

Le document, voté à l'unanimité (ce qui peut s'interpréter soit comme un hommage collectif à une sorte de chef-d'œuvre soit, ce qui est plus vraisemblable, comme une manière de banaliser un exercice obligé dont personne n'est très fier), ce document donc, serait acceptable, conforme aux lois du genre, si la France était dans une situation économique ordinaire avec du temps pour la réforme et de quoi distribuer gentiment, de manière impressionniste, des petits cadeaux ici ou là. Mais ce n'est pas le cas. Nous sommes en état d'urgence et Martine Aubry a bien tort de considérer comme fondateur de la campagne socialiste un texte qui nie en fait, de par ses propositions concrètes, le caractère angoissant d'une situation qu'il décrit cependant comme telle. La cohérence affirmée ne résiste pas à cette contradiction.

L'exemple le plus éclatant porte sur le traitement de la dette. Après avoir, à juste titre, accusé Nicolas Sarkozy d'avoir mis l'Etat en « situation de faillite », selon le mot de François Fillon, les socialistes adoptent à l'unanimité (cela évite toute discussion) un taux de croissance de 2,5 % l'an pour le quinquennat à venir et décident unilatéralement de repousser de 2013 à 2014 le respect des engagements, déjà insuffisants, pris par la France en matière budgétaire vis-à-vis de Bruxelles. Double inconséquence : la croissance française sur les dix dernières années a été, en moyenne, de l'ordre de 1,5 %, la faiblesse de ce chiffre provenant des maux que nous avons décrits, en particulier la perte de compétitivité de notre appareil productif. Un taux de croissance ne se décrète pas : dans le sens avantageux où elle est commise, une erreur de un point sur le taux de croissance représente sur la pleine durée des cinq ans à venir un PIB fictif de 100 milliards d'euros et des recettes fiscales virtuelles de 50 milliards, soit la moitié de l'effort à consentir pour redresser les finances du pays. C'est une faute que de propager une telle illusion, *a fortiori* de s'en servir pour se faire élire. Le devoir d'un homme d'Etat est de traiter le problème d'amont, en jachère depuis plus de dix ans : celui de la compétitivité. Sur ce sujet, rien ou à peu près, le vide. Seconde inconséquence, d'une gravité similaire, penser que Bruxelles et les marchés nous laisseront le loisir d'arrêter le calendrier d'un retour à l'équilibre budgétaire. Tous les foyers surendettés rêvent de fixer eux-mêmes le rythme de leurs remboursements, à leur main. En général, ce sont les prêteurs qui décident.

La Cour des comptes l'affirme dans un rapport récent : « Le risque d'emballement de la dette est une menace majeure [...]. Un effort de 20 milliards par an est indispensable pendant cinq ans [...]. Des réformes ont commencé [...], l'ampleur des efforts nécessaires est cependant bien plus importante. » « Du sang et des larmes », nous annonce Eric Le Boucher dans un éditorial des *Echos*[1]. Je crains qu'il n'ait raison. Il note avec justesse que le PS ne peut fustiger la prodigalité du pouvoir depuis 2007 et ajouter 25 milliards de dépenses dans son projet (1 % du PIB, quand notre déficit annuel est déjà de 6 %, qu'il faut de toute urgence faire disparaître) sans dire, et pour cause, comment ils seront financés.

« Nous rétablirons l'âge légal de départ à la retraite à soixante ans », disent les socialistes. Cela est impossible, répond avec conviction Manuel Valls. Serait-il le seul à être sérieux ? Les candidats probables, à droite comme à gauche, vont-ils continuer à nous chanter des sornettes ou nous expliquer enfin comment ils vont réussir à contenir les débordements de l'Etat-providence pour sauver son existence même ? L'équation budgétaire française est dramatiquement simple : plus de 55 % des dépenses proviennent de transferts sociaux. Pour réduire le déficit, il faut immanquablement ralentir la progression des dépenses de retraite, d'assurance maladie, d'allocations fami-

1. 1er juillet 2011.

liales, auxquelles on devra bientôt ajouter celles liées à la dépendance. Dès lors, l'affirmation du retour en arrière sur la réforme des retraites relève de la pure démagogie.

En dépit de ce qui a été fait par la droite exclusivement (Balladur en 1993, Fillon en 2003 puis Sarkozy en 2009), les régimes de retraite sont encore financièrement déséquilibrés et l'effort n'est donc pas terminé. Mieux vaudrait le dire sous cette forme. La situation française est-elle insupportable ? Oui, elle comporte des injustices, oui, les carrières courtes sont maltraitées, oui, ceux qui entrent très tôt dans le monde du travail sont désavantagés, oui, les ouvriers ont une espérance de vie sensiblement plus courte que les cadres supérieurs, oui, il faut essayer de corriger ce qui peut et doit l'être. Mais personne n'est jusqu'à présent parvenu à expliquer clairement pourquoi et comment ces injustices, qui existaient depuis l'origine même du système, auraient été accrues plutôt que réduites par les dernières réformes dont le seul objectif était un début de rééquilibrage financier. L'arbre, en outre, ne doit pas cacher la forêt : l'âge de départ en retraite est chez nous l'un des plus bas, sinon le plus bas, de tous les pays industrialisés, la durée (vingt-quatre ans pour les hommes et vingt-huit pour les femmes) que les Français passent à vivre leur retraite, toutes injustices prises en compte, est supérieure de six ans à celle de nos voisins de l'Union européenne et le niveau de vie moyen des retraités est, dans notre pays, très voisin de (voire supérieur à) celui des actifs. François Hollande a bien raison de dire que l'on devrait s'occuper davantage des jeunes.

Ici encore, le projet du PS est financièrement incohérent. Protéger cet acquis social essentiel (la retraite à soixante ans) en oubliant les évolutions démographiques les plus évidentes (un trimestre d'espérance de vie gagné tous les ans) se fera grâce à une taxation accrue des revenus du capital (cela rapporte combien ?) et par une « hausse modérée et progressive des cotisations sociales et patronales ». Merci de ce nouveau handicap, se plaint l'appareil productif, systématiquement ignoré.

Faute de baisser les dépenses assez vite ou assez fort, il faudra bien relever les impôts. Nicolas Sarkozy, homme de droite et conservateur conséquent, n'a jamais voulu le faire, suivant en cela son inspirateur, Edouard Balladur : une moindre imposition des riches serait la meilleure garantie de dynamisme économique. Si cela était vrai, le taux de croissance de la France aurait dû exploser depuis 2002 tant cette politique a été suivie avec constance, voire entêtement. Or ce ne fut pas le cas, au contraire. La gauche dit vouloir les hausser « provisoirement », ce qui est mieux, mais sans dire de combien. Quant à sa grande réforme fiscale (fusion de l'impôt sur le revenu et de la CSG accompagnée de la retenue à la source), elle constitue pour l'instant un magnifique écran de fumée qui permet de masquer la seule question qui vaille : qui paiera quoi?

Réduire ce qui peut l'être des dépenses publiques, contraindre l'évolution dans le temps de l'Etat-providence, augmenter les prélèvements libératoires supportés par les ménages, voilà ce qui attend les Français. Politiquement, économiquement et moralement, face à un Nicolas Sarkozy qui s'est disqualifié, ce serait mieux de le dire plutôt que, par laxisme intellectuel et démagogie électorale, lui donner une deuxième chance inattendue et imméritée. Et qui, l'expérience le prouve, n'apporterait rien de bon au pays.

Esquisse d'un programme

Au vu de tous ces programmes, soit encore inexistants (UMP), soit dangereusement farfelus (Front national, Jean-Luc Mélenchon, Arnaud Montebourg), soit insuffisants (PS et Verts), il semble que le bon sens économique ait déserté la classe politique française. Au lieu du redressement nécessaire, c'est le déclin poursuivi, à plus ou moins grande vitesse. Faire mieux n'est pourtant pas hors de portée, avec un peu de courage politique et de volonté collective. A condition de bien définir les objectifs, la mesure chiffrée des efforts à accomplir pour les atteindre et de ne pas dévier du chemin qu'on s'est fixé.

Premièrement, nos finances publiques. Nos niveaux de dette et de déficit sont excessifs, il faut agir énergiquement pour les réduire. Cela ne se fera certes pas d'un claquement de doigts, mais c'est possible. Deuxièmement, la sous-compétitivité de notre appareil productif qu'il faut corriger si on veut à un horizon de quelques années retrouver une croissance forte. Troisièmement, en même temps que le traitement de notre sous-compétitivité, la métamorphose de l'appareil productif qui va s'imposer à tous les peuples, à nous comme aux autres, en raison des nécessités écologiques et de la notion incontournable de développement durable. S'il est bien traité, ce qui n'est pas le cas aujourd'hui, et avec la volonté qu'il faut, ce problème peut devenir une chance. Enfin, il faut redéfinir le cadre de nos relations avec les autres peuples européens pour mieux être à même d'atteindre ces buts. On joue tout seul, on se referme, on sort de l'euro ou au contraire on contribue à l'émergence de nouvelles règles et d'une nouvelle Europe qui peuvent nous aider à surmonter plus facilement nos difficultés. Voilà pour le menu.

L'addition, ensuite, en considérant, pour simplifier, que la durée du redressement est celle d'un quinquennat. La France part d'un déficit de l'ordre de 6 % du PIB, qu'il faut ramener à zéro. A cela s'ajoutent 3 points de PIB nécessaires au renforcement de notre appareil productif et à sa préparation au développement durable : on a au total un transfert de l'ordre de 10 points de PIB sur cinq ans, environ 200 milliards d'euros. Cet effort, qui se fera au profit de l'Etat, de la sphère publique qui en ont besoin pour réduire leurs déficits et des entreprises pour qu'elles redeviennent compétitives, sera nécessairement porté par les ménages. Il n'y a personne d'autre pour le faire. Pour ne pas désespérer totalement les Français, de Billancourt à Neuilly, notons tout de même que 0,75 % de ressources fiscales supplémentaires par an seraient dégagées en maintenant la dépense publique en volume et sur la base d'une hypothèse de croissance raisonnable, moins optimiste que celle de nos dirigeants politiques, de 1,5 % en moyenne sur la période.

Nous n'aurions donc plus besoin de déplacer 2 points, mais en net seulement 1,25 point de PIB, 25 milliards par an, ce qui rejoint l'estimation de la Cour des comptes. Même étalé, même supportable, cela représente toutefois un effort que la France n'a jamais produit sur une telle longueur. Cela signifie aussi nécessairement, inutile de le cacher, pendant toute cette période d'ajustement, une faible progression du pouvoir d'achat individuel des Français. C'est dur, ce n'est pas facile à accepter mais c'est la condition *sine qua non* pour assainir nos finances publiques, restaurer notre compétitivité et nous permettre de retrouver, au bout de cinq ans, une croissance forte de la consommation et de l'emploi. Quant à expliquer aux Français qu'il existe des remèdes gratuits et indolores pour redresser le pays, cela relève du charlatanisme économique pur et simple. C'est leur mentir de façon éhontée.

L'Europe

Le cadre étant défini, on peut aborder l'aspect européen, qui jouera un rôle décisif dans notre capacité à nous redresser. Si l'Europe trouve enfin son équilibre et améliore ses capacités de coordination et donc de défense par rapport aux agitations financières du monde, notre propre trajectoire en sera grandement facilitée. Elle sera en revanche très compromise si l'Europe plonge. De ce point de vue-là, il ne faut avoir aucune hésitation sur les directions, fussent-elles radicales, à prendre. L'Europe dans son ensemble est aujourd'hui confrontée à un endettement massif qui a commencé à susciter la méfiance des prêteurs. Revenons sur un critère décisif dont on a déjà parlé et qu'on appelle dans le jargon budgétaire le solde primaire, c'est-à-dire l'excédent ou le déficit hors charges d'intérêt de la dette. Un pays en excédent primaire, dont les recettes courantes couvrent les dépenses courantes, n'a pas besoin d'emprunter pour payer ses fonctionnaires. Il dispose du même coup d'une relative autonomie et se trouve en position de force relative face à ses prêteurs. Cyniquement, s'il a des difficultés de paiement, il peut contraindre ses créanciers et leur expliquer qu'il les remboursera plus tard. Il n'a pas besoin d'eux pour vivre. Un pays en déficit primaire, au contraire, c'est le cas de la France – pas de l'Italie, soit dit en passant, alors qu'on a souvent tendance à présenter ce pays comme un modèle de gabegie et d'irresponsabilité budgétaire – est dans une situation de dépendance totale vis-à-vis de ses créanciers pour assurer son fonctionnement au quotidien. S'il ne peut plus emprunter, c'est aussitôt le drame, la catastrophe.

Il faudrait donc que l'Europe dans son ensemble, et chaque Etat en particulier, reviennent le plus vite possible à une situation d'excédent primaire. Cette première condition est extraordinairement importante. Les bonnes âmes expliquent qu'un tel assainissement aurait un effet dépressif, ce que je conteste. Auraient-ils raison, il faut peser les dangers respectifs, comparer les risques. Un point de croissance en moins, c'est très malheureux et douloureux, mais on y survit. En revanche, quand un Etat ne peut plus payer ses fonctionnaires, ce qui est arrivé en Argentine il y a quelques années, ce qui peut encore se produire en Grèce, en Irlande ou au Portugal, ce qui s'est passé en Islande, ce n'est pas 1 point, mais 10 points de PIB en moins, du jour au lendemain. Il est donc indispensable de réduire, au niveau global et au niveau national, la dette publique de la zone euro de façon à dégager au plus vite un excédent primaire.

Le retour à un excédent primaire allégerait considérablement la pression des marchés sur la dette publique européenne. Cela permettrait d'attendre la seule et vraie solution – qui risque de prendre du temps, comme toujours en Europe –, celle consistant à affirmer un principe de solidarité absolue entre les Etats de la zone euro sur leurs emprunts, à traiter la dette publique européenne comme une dette commune. Simplifions le plus possible : une instance unique européenne s'endetterait au nom de tous, à un taux unique, pour redistribuer ensuite l'argent à chaque Etat. Au contraire, en leur expliquant qu'ils devraient dans le futur participer à des consolidations éventuelles de la dette de tel ou tel Etat, Berlin et Paris ont pour l'instant signifié aux prêteurs qu'ils étaient face à des Etats séparés qu'ils devaient juger selon leurs mérites propres. Cela revient à dire qu'il n'y a pas de solidarité européenne et à pérenniser un système de taux d'intérêt multiples avec des écarts très importants d'un pays à l'autre, ce qui est un non-sens dans une zone à monnaie unique. Imagine-t-on aux Etats-Unis les habitants du Texas payer des taux d'intérêt plus élevés qu'en Californie ?

Supposons qu'Angela Merkel continue à imposer ses vues contre l'avis de Jean-Claude Trichet : pas de solidarité européenne. Dès lors un Etat de la zone euro emprunte dans les périodes calmes aux mêmes conditions que s'il était seul : aucun avantage. Dans les périodes tumultueuses, il peut seulement espérer l'assistance de l'Union européenne en plus de celle, qui est de plein droit, du FMI. Quelle perspective exaltante ! Ce n'est pas ainsi qu'on convainc les peuples. Un gouvernement français digne de ce nom devrait se battre à haute voix pour l'affirmation d'un principe de solidarité absolue. Bien entendu, cette solidarité devrait avoir pour contrepartie une discipline commune, c'est-à-dire le transfert du pouvoir en matière économique de la nation à l'Europe. Une instance européenne centrale donnerait son approbation explicite à chaque budget national. Elle disposerait aussi d'un pouvoir contraignant pour corriger les déséquilibres économiques, autres que budgétaires, de nature à entraîner des distorsions de compétitivité, comme par exemple l'évolution des salaires, de la productivité, du commerce extérieur. La crise actuelle de la dette démontre qu'il est urgent de se rapprocher d'une structure de type fédéral telle qu'elle existe de droit en Allemagne ou de fait aux Etats-Unis. Mieux : la période est idéale pour sortir de l'euroscepticisme et faire comprendre aux Français qu'une Europe plus forte, plus puissante, constitue une chance et non un danger. Qu'en transférant le pouvoir économique à une Europe souveraine et solidaire, nous nous déchargerions d'une partie du fardeau que nous portons seuls aujourd'hui.

La France

Bien sûr, cela ne nous dispenserait pas pour autant de la nécessité de réduire, par nos propres moyens, notre dette publique. Il faut, pour y parvenir, que la dépense n'augmente pas en volume, qu'elle ne croisse pas en valeur plus que le taux d'inflation. Ce qui pose le problème du financement de la protection sociale en France, laquelle représente, on l'a dit, plus de la moitié de l'ensemble du fardeau. Les dépenses sociales, compte tenu de l'allongement de la durée de vie, des progrès médicaux, des problèmes de dépendance, progressent spontanément au minimum d'un point de plus que le PIB, soit une vingtaine de milliards d'euros supplémentaires par an.

L'Etat ne peut pas suivre le mouvement et colmater en permanence une fuite de cette ampleur. La situation de nos finances publiques imposant de stabiliser le montant de la dépense couverte par l'intervention de l'Etat, une partie croissante doit en être prise en charge par les ménages eux-mêmes. Il n'y a pas d'autre option. C'est sûrement politiquement coûteux. En termes de croissance, contrairement à ce que beaucoup d'esprits préformatés prétendent, c'est cependant la seule solution.

Pour les retraites, dont le financement pérenne est loin d'être entièrement réglé, il n'existe pas d'autre solution sérieuse que de chercher un équilibre maintenu et constant entre les cotisants et les bénéficiaires, donc que de faire glisser dans le temps, progressivement, l'âge du départ effectif en retraite. Même si la perspective n'est pas très agréable, elle ne présente pas d'effets dépressifs. Le fait qu'on ait à travailler six mois, un an, deux ou trois ans de plus, ne détruit pas de richesses, au contraire. Cela permet de maintenir le montant des retraites futures.

En matière d'assurance maladie, il est inéluctable à terme que nous basculions au moins partiellement vers un système assurantiel. Le temps est venu de dire aux classes les plus aisées, en commençant bien entendu par le haut de la pyramide, qu'elles doivent prendre en charge elles-mêmes une partie de leurs dépenses de santé. Le temps est venu d'instaurer une franchise qui sera d'autant plus importante que le revenu ou le patrimoine des personnes concernées sera plus élevé. Même si elle est naturelle, l'idée de distinguer dans le financement de la santé les riches et les pauvres choque l'esprit égalitaire et républicain français mais elle est inévitable. Les gens fortunés ne vont pas moins se soigner parce que, par exemple, les 1 000 premiers euros annuels de dépenses médicales leur incomberaient. Leur comportement sera exactement le même. Il s'agit là encore d'une réforme structurelle, dont la mise en place serait sans effets négatifs sur la conjoncture.

Notre système de protection sociale, par tradition, est fondé sur la répartition, il fonctionne comme une mutuelle. Il faut donc lui appliquer les règles d'une mutuelle où, à chaque perspective de déficit, les cotisations sont ajustées pour revenir à l'équilibre. En matière de retraite, l'ajustement se ferait sur l'âge de départ et en matière de santé sur le montant de la franchise. Il n'y aurait même que des avantages à en faire une obligation constitutionnelle. Il n'est pas possible de continuer à financer des dépenses sociales à crédit, par l'emprunt, à hauteur de 30 ou 40 milliards d'euros par an. Que se passerait-il si un jour l'Etat français n'arrivait plus à placer sa dette sur les marchés ? Les retraites ne seraient plus payées ? Les malades ne pourraient plus se faire soigner ? Le droit de guérir, le droit de vivre paisiblement sa retraite ne peuvent dépendre du bon vouloir des investisseurs internationaux et de l'humeur des banquiers de Wall Street.

En finir avec la loi TEPA

Le redressement économique de la France passe aussi par une réforme en profondeur de la fiscalité. Il s'agit d'abord de détricoter au plus vite la longue série de mesures fiscales qui ont été prises par Nicolas Sarkozy et qui ont été autant de fautes, de contresens – je le dis d'autant plus volontiers que je l'ai écrit dès qu'elles ont été annoncées et avant même qu'elles aient démontré leur inefficacité et leur nocivité [1]. Cette action correctrice ne présentera pas de conséquences négatives sur la croissance, bien au contraire. Il faut réaugmenter les droits de succession, mettre fin à cette absurdité que constitue la double subvention en cotisations sociales et en impôts sur le revenu des heures supplémentaires, qui nous coûte 3 à 4 milliards d'euros par an, remettre à un niveau normal la TVA sur la restauration, sur les travaux d'entretien, etc. Autant de mesures qui ont pu éventuellement soutenir artificiellement la conjoncture hexagonale mais n'ont en rien aidé à améliorer notre compétitivité et ont à l'opposé, à travers l'endettement public, contribué à sa détérioration. Tout cela rapporterait un point de PIB en ressources fiscales annuelles (20 milliards d'euros). C'est la partie la moins douloureuse de l'effort à consentir.

Sur ces deux sujets, la gauche prendrait probablement les bonnes décisions. Je m'attends en revanche à ce que Nicolas Sarkozy refuse avec obs-

1. *Sarkozy : l'erreur historique*, Plon, 2008.

tination de remettre en cause ces reliquats ultimes de la loi TEPA[1] et de sa politique économique de début de septennat. Comme cet entêtement témoigne de son incapacité à comprendre le fonctionnement d'un système productif en économie ouverte, je crois utile par avance d'en décrire les conséquences.

Commençons par les faveurs fiscales à l'adresse de la restauration et des métiers d'entretien du logement. Certes, les intentions électorales sont évidentes (ah, les charmes de la démocratie de cafés !). Mais, plus sérieusement, ce type de décisions contribue à la poursuite de notre déclin. Notre président encense l'industrie et le modèle allemand mais entretient dans les faits le modèle anglo-saxon. Comme si Colbert s'était concentré sur la bonne santé des bistros ! Croit-on que l'emploi se déplace inéluctablement vers les services ? Et de préférence vers ceux qui sont protégés de toute concurrence étrangère ? Ces exemples ne sont pas uniques. On a déjà dit que l'exonération des charges sur les bas salaires, certes antérieure, a principalement bénéficié au secteur tertiaire, non à l'industrie. Et à la sortie du Grenelle de l'environnement, on offre une subvention aux exploitants d'énergie solaire ou d'éoliennes en se persuadant que le succès du marché aval, celui de la consommation, entraînera par induction le décollage en amont du marché industriel. Une fois de plus, on préfère le consommateur au producteur. L'échec est total.

1. Loi du 21 août 2007 pour le travail, l'emploi et le pouvoir d'achat.

Quant à l'absurdité du régime des heures supplémentaires, je ne fais que répéter ici ce que j'écrivais déjà en 2008 : la réalité a confirmé mes craintes. Le passage aux 35 heures, dans les conditions et au moment où il a été décidé, a été un crime contre l'économie et Lionel Jospin en fut l'auteur, sur une inspiration malheureuse de Dominique Strauss-Kahn (Martine Aubry se contentant de mettre en œuvre avec une sorte d'excès de zèle une réforme avec laquelle elle eût mieux fait de prendre quelque distance). Le budget, plus exactement le déficit budgétaire, fut là pour financer une décision abracadabrante.

L'addition se monte à une quinzaine de milliards d'euros en année pleine, soit presque 1 % du PIB. D'où le péché originel, déjà évoqué dans le premier chapitre : on réduit la capacité de production de l'économie, on affecte sa compétitivité, on creuse le déficit public de 1 % du PIB et on commence à diminuer l'énorme réservoir des charges sociales supportées par les entreprises (le taux en est de 43 % dans notre pays contre 35 % en moyenne dans la zone euro), non pas pour augmenter leurs marges et les inciter à investir mais pour payer les loisirs nouveaux accordés aux Français. L'exploit est admirable.

Là-dessus, Nicolas Sarkozy arrive. Il va mettre fin, se dit-on, à cette absurdité. Eh bien, pas du tout. Il va s'y prendre de manière tellement compliquée, tellement démagogique que, loin de corriger le crime initial, il s'en rend complice puisqu'il le perpétue. Sous prétexte d'effacer les bêtises de Lionel Jospin, il s'en fait le continuateur, il utilise en sens inverse les mêmes méthodes. On a construit une cathédrale baroque pour réduire la durée du travail, on en ajoute une seconde pour la rallonger, toutes deux subventionnées sur fonds publics. L'économie française paiera deux fois, l'aller et le retour.

Pour un certain nombre de salariés, en effet, ceux qui vont pouvoir obtenir dans leur entreprise ou leur administration de faire suffisamment d'heures supplémentaires, la durée effective du travail va repasser de 35 à 39 heures. Par décision du pouvoir central, je devrais dire du Président lui-même, ces quatre heures vont faire l'objet d'une rémunération majorée de 25 %. Admirons la vitesse du progrès social : dans les petites entreprises, celles de moins de 20 personnes, la majoration Jospin n'était que de 10 %. Foin de l'avarice et des avaricieux : Nicolas Sarkozy, d'un trait de plume, alourdit l'addition de 15 points. Sans doute avait-il oublié que, dans une vie antérieure, un ministre du Travail nommé François Fillon avait fait voter une disposition permettant, dans les entreprises de taille importante, de baisser la majoration de 25 % à 10 % en cas d'accord de branche. Fallait-il vraiment mettre fin à ces timides éléments de liberté ? Ou au contraire les étendre et les généraliser ?

Un salaire majoré de 25 % sur les quatre dernières heures, cela fait un petit 3 % de surcoût horaire. Onze pour cent dans un sens, 3 % dans l'autre : Jospin puis Sarkozy auront au total alourdi le coût horaire de près de 15 %, pour des individus fournissant exactement la même quantité de travail. Une majoration de 25 % pour la rémunération des heures supplémentaires ? Si elle avait dû être supportée par les entreprises, il est clair que l'accroissement espéré de leur volume ne se serait pas produit.

C'est donc l'Etat, toujours lui, qui doit en accepter la charge. Puisqu'il force le jeu, il doit payer. Le budget intervient deux fois pour le même salarié, la première pour financer la réduction, la deuxième l'augmentation de sa durée du travail. Mais exonérer les heures supplémentaires de charges sociales à hauteur du surcoût horaire ne suffit pas. Nicolas Sarkozy a voulu absolument que le dispositif soit attrayant pour tous, entreprises et salariés. Les uns et les autres doivent y trouver un vrai bénéfice (aux dépens de qui ?). Dès lors, il convient de faire échapper la rémunération des heures supplémentaires à l'impôt sur le revenu des personnes physiques.

Le coût pour les finances publiques de l'allègement de la durée du travail, mode Sarkozy, est ainsi potentiellement égal à la moitié du coût de sa réduction, mode Jospin. Admirons sincèrement l'un et l'autre. Depuis 2008, le volume total des heures supplémentaires n'a pas augmenté. Si elles ne coûtent à l'entreprise, charges sociales comprises, pas un centime de plus, si elles rapportent davantage au salarié et sont en outre non imposables, comment éviter l'arbitrage qui conduit les employeurs, avec l'assentiment tacite de leur personnel, à réduire leur effectif en le faisant travailler plus longtemps ? Le seul effet de cette réforme a été de faire payer par la Sécurité sociale ou le budget de l'Etat l'augmentation de salaire net de la main d'œuvre.

Halte au feu ! Halte à l'imagination populiste ! Bien entendu, la non-imposition des heures supplémentaires est approuvée par l'opinion publique que l'on a accoutumée au refus de l'impôt. Qui paiera ? Peu lui chaut. On ne s'attendait pas à voir la droite répéter en les déclinant dans son registre propre les erreurs passées de la gauche.

La fiscalité

Il va falloir augmenter les impôts, dans un esprit d'équité et de solidarité. Dans cette période difficile, les plus fortunés doivent consentir un effort particulier. Deux recommandations à cet égard : la première est d'ajouter un ou deux niveaux à l'échelle de l'impôt sur le revenu, par exemple à 45 % pour les revenus supérieurs à 150 000 euros et 50 % au-delà de 300 000 euros. La seconde consiste à refuser symboliquement le creusement des inégalités à la pointe extrême de la pyramide des revenus : le rapport de richesses entre le premier et le dernier décile de la répartition est, depuis plusieurs années, à peu près stable. En revanche, comme on l'a déjà noté, les 1 % les plus riches, parmi eux les 0,1 % et encore davantage les 0,01 % les plus favorisés, ne cessent de voir leur fortune croître, à des niveaux et à des rythmes souvent indécents. Qu'un tel phénomène récompense des entrepreneurs efficaces, de vrais créateurs d'entreprises et de richesses, n'a rien d'anormal. S'agissant de patrons, de cadres supérieurs ou *a fortiori* de « golden boys » qui sont tous salariés, l'excuse de la création de valeur n'est pas recevable dès lors qu'elle devient sans limite. Surtout si l'on rappelle que l'économie financière plus que l'économie réelle profite de cette situation. Comme l'indique Patrick Artus[1], les salaires moyens annuels par tête, tirés vers le haut par quelques rémunérations exceptionnelles, sont plus élevés dans les services financiers (47 000 euros en moyenne en 2008) alors que l'industrie est à la traîne (36 000 euros), comme aux Etats-Unis mais à l'opposé de l'Allemagne où la hiérarchie est exactement inverse. Que faire contre les rémunérations excessives? Je propose qu'au-delà d'un seuil suffisamment élevé (par exemple un million d'euros) elles soient traitées non comme des salaires mais comme des profits, que leur versement soit assimilé à de la distribution de dividendes (juste rétribution d'un capital humain certes exceptionnel), en un mot qu'elles ne soient plus déductibles de l'impôt sur les sociétés pour l'entreprise qui les consent. Les actionnaires pourront ainsi juger, en toute connaissance de cause, du mérite réel des managers.

1. *Flash Economie Natixis*, décembre 2009, note de travail.

Faut-il taxer davantage les revenus du capital, de manière à aligner leur imposition sur celle du travail ? Sans doute, au nom de l'équité. Une telle réforme fiscale modifiera-t-elle substantiellement l'équation budgétaire française ? Nullement : son effet sur les ressources de l'Etat sera marginal. Il serait temps que la gauche comme la droite cessent de se nourrir de rêves.

Des revenus du capital encaissés par les ménages, on a une connaissance confuse et lacunaire. Le Conseil des prélèvements obligatoires en fournit une image qui n'est qu'approximative. Que peut-on en retenir ? Les revenus du capital perçus par les ménages représentaient 150 milliards d'euros en 2007, dont on ne connaît pas la décomposition exacte, ce qui fait globalement 8 % du produit intérieur brut (PIB). Ces mêmes revenus sont taxés en moyenne à hauteur de 17 %, soit 1,4 % du PIB, avec une répartition inconnue entre produits de l'immobilier, plus-values, dividendes et intérêts. *Quid* des revenus du travail ? Ils font l'objet d'un prélèvement obligatoire qui est en moyenne de l'ordre de 30 %. Un esprit trop rapide en déduirait qu'aligner l'imposition des revenus du capital sur celle du travail, donc passer d'un taux de prélèvement de 17 % à un taux de 30 %, permettrait de dégager des ressources supplémentaires de l'ordre de 1 % du PIB, soit 20 milliards d'euros. Ce n'est pas rien, sans être gigantesque. Encore le produit réel d'une telle réforme serait-il, en toute vraisemblance, encore inférieur, à mon avis de l'ordre de la moitié.

Certains revenus du capital, qui sont « barémisés », suivent le régime des revenus du travail. Tel est le cas des loyers, taxables à l'impôt sur le revenu. Tel est le cas également des dividendes lorsque leurs bénéficiaires choisissent de les inclure tels quels dans leur revenu imposable, après un abattement de 40 % qui tient compte de la taxation en amont des bénéfices des sociétés. Malheureusement, personne ne sait ce que représentent, dans l'impôt perçu sur les revenus du capital (les 17 % précités), ces deux sources importantes de recettes déjà taxées, peu ou prou, suivant le droit commun. Restent de multiples taxations forfaitaires. Hélas, nous sommes en face d'un véritable maquis dont nul ne semble capable d'appréhender le dessin. En effet, le régime d'imposition dépend de la nature du placement (immobilier, actions ou obligations) mais également du canal par lequel l'argent est investi, soit directement, soit à travers des organismes de placement collectif ou encore par le biais de contrats d'assurance-vie. Comment mettre un peu d'ordre dans ce fouillis ? Simplifions jusqu'à l'outrance. Le régime de référence des contrats d'assurance-vie conduit à un prélèvement fiscal et social de l'ordre de 20 %. Un prélèvement forfaitaire s'applique sur les intérêts perçus directement, sur les dividendes quand le choix des bénéficiaires s'exerce en ce sens ainsi que sur les plus-values mobilières. Il est de l'ordre de 30 %, contributions sociales comprises. Dans aucun de ces cas, on ne connaît l'ampleur des sommes concernées.

Qu'en conclure, même si la constatation est désagréable ? Qu'il n'y a à peu près rien à gagner sur les revenus du capital qui sont déjà inclus dans le barème commun de l'impôt. Laissons de côté les exonérations totales : Livret A, PEA, épargne logement : qui osera y toucher ? Restent l'assurance-vie, les plus-values immobilières tant sur les résidences principales que secondaires et celles sur valeurs mobilières. Bonne chance au législateur rigoureux ! En fait, le seul gisement vraiment rémunérateur proviendrait d'une taxation, à partir de valeurs locatives réalistes, de l'ensemble du parc foncier et immobilier des ménages (trois fois le PIB), ce qui nous rapprocherait plutôt d'un impôt généralisé sur le patrimoine à taux faible qui pourrait se substituer à l'ISF : les recettes nettes pourraient être de l'ordre de 20 milliards d'euros pour un taux d'imposition de 0,5. Je crains que dans ce domaine le zèle réformateur des uns ou des autres ne s'arrête assez vite. Mais, si tel est le cas, cessons de nous gorger d'illusions.

A cet égard, le dernier livre de Camille Landais, Thomas Piketty et Emmanuel Saez, *Pour une révolution fiscale*[1], qui fournit à la gauche l'essentiel de ses idées, est plus qu'ambigu. Sa recherche d'équité est louable, qui conduit à comparer au sein des ménages la situation des riches et des pauvres. Mais le même ouvrage fournit malheureusement une caution pseudo-scientifique à l'un des

1. *Pour une révolution fiscale. Un impôt sur le revenu pour le XXIe siècle*, « La République des idées », Le Seuil, janvier 2011.

plus vieux fantasmes de la gauche : les revenus du capital seraient largement détaxés en France, au point qu'il suffirait de les imposer comme les revenus du travail pour réduire la pression fiscale sur la grande majorité de la population.

Où est l'erreur? Dans le fait que l'analyse porte sur le capital et le travail, non sur les contribuables eux-mêmes. Capital et travail sont deux concepts abstraits, certes fort utiles à qui veut comprendre les mécaniques de la croissance. Ces deux facteurs de production sont mis en œuvre, à des degrés divers, par tous les acteurs de la vie économique : entreprises, ménages et administrations. Mais jamais l'un ou l'autre n'a rempli de déclaration d'impôt ni reçu un commandement à payer : ils ne sont ni l'un ni l'autre incarnés. Pour une raison évidente : les contribuables sont nécessairement des personnes, pas des concepts. Ceux qui payent l'impôt sont soit les entreprises, soit les ménages. Affirmer, comme le font les auteurs, que « la distinction entre impôts acquittés par les ménages et impôts acquittés par les entreprises n'a aucun sens » enlève à la thèse qu'ils défendent l'essentiel de sa plausibilité. La faute de raisonnement est manifeste. Ce ne sont pas les ménages qui sont la source de la compétitivité de l'appareil productif (même s'ils y contribuent), mais les entreprises. Surtout, et de manière décisive, en économie ouverte.

Toute réforme fiscale doit donc répondre à deux questions successives. Premièrement, les charges publiques qui pèsent sur nos entreprises sont-elles économiquement fondées, exagérées ou pas en comparaison de ce que payent leurs concurrentes des pays étrangers ? Deuxièmement, une fois les richesses produites distribuées aux ménages, l'imposition de ces derniers est-elle équitable entre riches et pauvres, équilibrée entre revenus du travail et du capital ? Fondre les deux questions en une seule, c'est fabriquer de la confusion, donc encourager la démagogie. Or les prélèvements obligatoires sur nos entreprises sont les plus élevés d'Europe, je l'ai dit plus haut. D'où deux conclusions : les entreprises françaises subissent déjà un tel niveau de contribution aux charges publiques qu'un alourdissement éventuel compromettrait un peu plus une compétitivité déjà très dégradée. Les prélèvements qu'elles subissent sont principalement assis sur le facteur travail sous forme de charges sociales dites patronales : le moins qu'on puisse dire est que ce n'est pas de leur fait, qu'elles n'ont pas inventé ce système. Il serait certes souhaitable d'en alléger la ponction. A condition de ne pas la remplacer par une autre charge, sur les mêmes entreprises : on n'y gagnerait rien, bien au contraire.

Passons aux ménages, en dénonçant au passage, dans l'ouvrage précité, une véritable escroquerie intellectuelle. Leurs revenus financiers y sont artificiellement gonflés de plus de 100 milliards d'euros virtuels (5 points de PIB) qui en fait n'existent pas, n'ont aucune réalité ! Les intérêts perçus par les ménages sont calculés brut, sans aucune déduction pour les intérêts versés. Et surtout les loyers encaissés sont, comme en comptabilité nationale, majorés des loyers que les propriétaires occupants sont censés se verser à eux-mêmes et qui se montent à 85 milliards d'euros. Quel gouvernement oserait imposer des revenus fictifs ? Ce n'est certes pas avec de telles recettes qu'on réglera les problèmes de déficit public de notre pays. Encore moins produire une « révolution fiscale » qui permettrait d'abaisser les impôts de 97 % de la population.

En matière fiscale, un objectif central du futur pouvoir devra être de réduire rapidement le poids des prélèvements obligatoires sur l'appareil productif français. Si on veut redresser notre compétitivité, il convient d'organiser un transfert significatif de charges des entreprises vers les ménages, au profit de celles qui sont le plus exposées à la concurrence mondiale. Il faut remuscler ce qu'il nous reste de champions internationaux et en ajouter d'autres. Une hausse de plusieurs points de la TVA (comme l'a fait l'Allemagne) ou de la CSG, compensant la diminution des charges sociales des entreprises, est inéluctable. Au demeurant, taxer un peu plus lourdement la consommation en allégeant les charges qui pèsent sur la production est bien le moyen de déplacer l'équilibre existant vers davantage d'investissement.

Travailler et investir

Au-delà de ce transfert, nous devons faire encore davantage pour remettre l'appareil productif français en état de compétitivité. Revenons à l'analyse des trois facteurs de production du début de notre entretien : le travail, l'investissement, le progrès technique. Il faut augmenter la quantité de travail disponible et donc poursuivre, voire intensifier l'immigration légale de main-d'œuvre dans les secteurs où apparaissent déjà des goulots d'étranglement. Il faut aussi remettre les Français au travail. Avec la contrainte artificielle des 35 heures, nous sommes devenus, dans les faits comme dans les têtes, un peuple paresseux. Revenons à un régime beaucoup plus libre, beaucoup plus contractuel. La France est le seul pays au monde où la durée effective du travail et le niveau de rémunération des heures supplémentaires sont fixés par une décision du président de la République. Dans tous les pays sensés, cette décision relève des partenaires sociaux soit au niveau des branches soit au niveau des entreprises. La durée du travail doit réintégrer le cadre normal et naturel des relations décentralisées entre partenaires sociaux. Rappelons que les exonérations de cotisations sociales représentent aujourd'hui la bagatelle de 20 milliards d'euros. Ce qui veut dire qu'un bon point de PIB est gelé et affecté en France au règlement de la durée du travail par décision centrale.

Ensuite, il faut investir davantage, pour deux raisons qui expliquent le déplacement nécessaire de deux ou trois points de PIB en faveur des entreprises. La première est que la France investit aujourd'hui moins que ses principaux concurrents : il faut rattraper ce retard. La seconde est la nécessité du développement durable. Il va falloir rénover tout notre habitat, fabriquer des logements qui seront dans un premier temps plus coûteux parce qu'ils intégreront des technologies nouvelles écologiquement plus satisfaisantes, modifier nos modes de transport, revoir nos processus industriels pour les rendre moins émetteurs de carbone. C'est un effort spécifique d'investissement gigantesque, probablement de l'ordre de 40 milliards d'euros, deux points de PIB par an. Admirons le paradoxe qui met les Verts, amis naturels de la décroissance et ennemis déclarés du productivisme, suffisamment mal à l'aise pour qu'ils n'en parlent jamais : le virage vers le développement durable aura pendant longtemps un effet très stimulant sur la croissance et la productivité.

On aurait besoin en la matière de quelques grands programmes. Pour aider l'économie à prendre ce virage, l'Etat devrait jouer un rôle de pilote, de catalyseur en réunissant les diverses compétences dans ce domaine, en faisant se confronter les idées et les projets, en définissant les grandes lignes des programmes à mettre en œuvre, en calibrant les besoins, un peu le rôle qu'avait tenu après la guerre le commissariat au Plan au moment de la reconstruction du pays. Petite pique politique renouvelée : il faut déplorer que, sur ce grand sujet, la transition vers le développement durable – comment organiser les choses, comment et où investir –, les Verts soient muets. Peut-être parce que cela suppose d'expliquer aux Français que ce passage exigera d'eux un effort supplémentaire.

Plus globalement, les pouvoirs publics devraient avoir une approche similaire pour tout ce qui concerne le progrès technique et l'innovation. C'est-à-dire, sans être eux-mêmes industriellement opérationnels, faciliter la rencontre de toutes les entités impliquées, qu'elles soient publiques, universitaires ou émanant des forces productives privées, établir des lieux de contacts, de discussions, par filière, par région, par compétences, de façon à créer une atmosphère permanente d'émulation et de compétitivité dans tout le pays. Et demander au patronat, en échange d'une moindre taxation des bénéfices non distribués, de s'engager dans l'adoption de plans d'investissement plus intenses. Investir, « l'ardente obligation » devrait s'imposer à tous.

Si on prend toutes ces mesures, l'économie française se redressera, j'en suis certain. Mais on voit aussi que tout est lié, que tout s'imbrique : le rôle que doit avoir un Etat sans marges de manœuvres budgétaires dans une économie de marché mondialisée, la réduction de la dette publique, les relations de la France avec ses partenaires européens, le financement de la protection sociale, la fiscalité, la lutte contre la sous-compétitivité de l'appareil productif et le sous-investissement, l'innovation technologique, le temps de travail et la mobilisation collective des énergies. Que tout soit à ce point imbriqué peut être perçu comme une difficulté supplémentaire pour redresser vraiment l'économie française. Mais cela peut aussi rendre cette tâche plus aisée dans la mesure où une réforme en entraîne nécessairement une autre et où le pays peut entrer dans le cercle vertueux de la modernisation et de la remise à niveau. A la condition, bien sûr, que nos dirigeants politiques renoncent à promettre l'impossible en faisant croire aux citoyens que, sans changements profonds, sans efforts longs et difficiles, la France pourra rester durablement prospère. Il faut sortir de ce déni de réalité et de ce gigantesque mensonge d'Etat.

Conclusion

« France, état critique »? Le cher et vieux pays n'est certes pas menacé de disparition. Mais l'élection présidentielle à venir constitue la dernière chance de prendre la vraie mesure des enjeux avant une crise majeure. Si rien ne se passe, si aucun des candidats n'est capable de tenir un discours de vérité, si nous continuons à entretenir nos illusions collectives, alors nous glisserons irrémédiablement vers un statut de second rang. Nous appartenons déjà à l'Europe du Sud davantage qu'à celle du Nord. Voulons-nous vraiment aller plus loin dans cette direction, voir les prêteurs étrangers se détourner des obligations émises par le Trésor et nos complaisances censurées par Bruxelles? Nos parts de marché à l'exportation peuvent-elles longtemps continuer à s'éroder, notre industrie à perdre sa compétitivité et, par inéluctable conséquence, notre taux de croissance diminuer encore, le chômage augmenter et le pouvoir d'achat plafonner?

Une telle évolution n'irait pas sans graves secousses, sociales et politiques. La IVe République est morte de n'avoir pas su résoudre le problème de la décolonisation. La Ve peut disparaître si elle n'est pas capable de rétablir la santé de notre appareil productif dans un univers de compétition, et donc d'assurer à la population une prospérité raisonnable. L'insatisfaction répétée débouche sur l'émeute. Le temps presse.

Les « indignés » d'Athènes, de Madrid, de Lisbonne clament tous le même refrain. Les peuples ne sont en rien responsables de la crise financière née aux Etats-Unis avec les *subprimes* (ce qui est exact) ; les peuples ne sont pour rien si les gouvernements ont empruntés des masses d'argent pour venir au secours d'un système financier menacé de disparition (cela est encore vrai) ; les peuples enfin ne peuvent être tenus pour responsables des excès d'endettement public qui résultent de cette action nécessaire et des risques de défaut qu'encourent leurs Etats (ce qui est plus discutable). Or ce sont les peuples qui vont payer le prix des politiques d'austérité mises en place, qui vont supporter la montée du chômage, la baisse du pouvoir d'achat et l'accroissement des impôts. L'indignation, la révolte même des peuples, des gouvernés contre les gouvernements, des petites gens contre les élites sont donc légitimes. Et trouvent pour les justifier combien de hérauts peu scrupuleux.

La réalité est moins simple. La description de l'enchaînement des tempêtes, financière, économique puis frappant les Etats, est impeccable. Mais elle oublie un élément essentiel : tous, parmi ces derniers, ne sont pas touchés à l'identique. Ceux dont les fondations étaient les plus fragiles sont les premiers mis en danger. En cela, la responsabilité des peuples eux-mêmes est engagée : dans toutes les démocraties européennes, ce sont eux qui ont choisi leurs gouvernements et approuvé de bonnes ou de mauvaises politiques. Un jeu de chiffres suffit : de 2000 à 2007, le coût du travail par salarié a augmenté en moyenne de 2,4 % l'an dans la zone euro. La Grèce est à 5,7 %, le Portugal à 3,8 %, l'Espagne à 3,2 % : les salaires n'ont pas augmenté tout seuls, et un tel écart, répété sur dix ans, année après année, est destructeur de toute compétitivité. Ces pays sont malades, depuis longtemps et de leur propre fait. La France, hélas, vient ensuite (2,9 %) : nous avons suivi, avec une pente certes moindre, le même chemin. Or ces divergences, une fois installées, sont cumulatives. Le système productif allemand, jouissant de marges très supérieures au nôtre, peut sans peine investir davantage et innover en nouveaux produits dont le succès va accroître le fossé qu'il nous faudrait combler pour revenir à niveau.

A quoi s'attendre? La campagne électorale à venir sera probablement violente dans la forme. On peut prévoir des attaques férocement subalternes et des excommunications définitives. Mais les chances sont élevées que le contenu nous laisse sur notre faim, que les difficultés que nous avons à traiter ne soient que superficiellement abordées.

Déjà, une partie significative des acteurs préfèrent éviter l'obstacle, fuir la réalité et se font les propagandistes de solutions virtuelles dont la mise en œuvre, en fait impossible, se traduirait en pures catastrophes. Ainsi progressent de conserve populisme et recherche de boucs émissaires, la radicalité du discours permettant de masquer la faiblesse de la pensée. De l'extrême droite à l'extrême gauche, le mal est inégalement réparti mais touche, peu ou prou, la quasi-totalité des formations politiques. On pourrait ainsi jouer au jeu des familles, citer l'une après l'autre chacune des malédictions extérieures que l'on tient ici ou là pour responsable de nos malheurs et se demander qui, à l'intérieur de chaque formation, porte le discours. Immigration (droite et extrême droite), euro (extrême droite et souverainistes), Europe (extrême droite, extrême gauche, altermondialistes, souverainistes), mondialisation (les mêmes, plus Arnaud Montebourg et Emmanuel Todd) et enfin, partout à gauche, capitalisme et néolibéralisme qui sont deux variantes insupportables mais bien sûr non définies de l'économie de marché, dont l'existence est à peine tolérée.

Ce que devrait être, en matière économique, la feuille de route, la liste des objectifs principaux, d'un candidat sérieux à la présidence de la République est cependant simple à établir : restaurer l'équilibre de nos finances publiques, accroître la compétitivité de notre appareil productif, établir les fondations d'un modèle industriel de développement durable, réduire enfin les inégalités de revenus et affirmer partout, entre catégories sociales comme entre territoires le principe d'une plus grande solidarité. Tout cela n'ira pas sans efforts considérables.

Face à ces exigences, la droite est sans programme et a un passé qui vote contre son renouvellement : elle n'a rien résolu, souvent aggravé, et une succession de caps instantanés et contradictoires ne fait pas une navigation. De l'autre côté, en entrée de campagne le projet socialiste n'est pas à la hauteur des défis que nous avons à relever. Je redoute d'ailleurs, de part et d'autre, un discours général, imprécis, sans chiffres, sur le redressement nécessaire, salué comme une nécessité abstraite et, par contraste, comme il faut bien se faire élire, l'accumulation renouvelée de promesses aussi explicites qu'intenables. En bref, des paroles creuses pour traiter l'indispensable, et de l'argent sonnant et trébuchant encore répandu vers l'inutile.

Mais, cette fois-ci, le monde ne nous laissera pas faire. Si les réponses apportées par les deux finalistes ne sont pas jugées satisfaisantes, nous serons instantanément mis sous pression, en situation de crise : les prêteurs sanctionneront par un accroissement immédiat et significatif des taux d'intérêt l'insuffisance de nos efforts, par comparaison avec le reste de l'Europe, l'Allemagne bien sûr, mais aussi la Grande-Bretagne ou même l'Espagne ou l'Italie. Nous ne sommes plus en 1981 : notre situation économique est plus défavorable, beaucoup plus déséquilibrée qu'à l'époque. Nous sommes donc bien davantage dépendants, pour placer et renouveler une dette devenue trop lourde, de marchés dont la réactivité s'est énormément accrue. Qui sera élu sur un programme jugé trop généreux n'aura pas une semaine pour essayer de l'appliquer : aussitôt arrivé à l'Elysée, il sera pris dans l'orage. Adieu, alors, aux superbes projets préélectoraux, aux engagements écrits ou oraux, aux chartes et aux promesses : nécessité fera loi.

Je souhaite que soit évité à mon pays un retour aussi douloureux au principe de réalité : le chaos est toujours dangereux. C'est dans cet esprit que j'ai apporté une modeste contribution au débat, en rédigeant cet essai avant d'exercer dans quelques mois mon vote de citoyen. A gauche, avec détermination, mais les yeux grands ouverts.

Table

Cet ouvrage a été composé et imprimé par
CPI Firmin Didot à Mesnil-sur-l'Estrée
pour le compte des Éditions Plon
76, rue Bonaparte
Paris 6e
en août 2011

Imprimé en France
Dépôt légal : septembre 2011
N° d'édition : 14753 – N° d'impression : 106574